# PARA ENTENDER O
# CAIBALION

LÚCIA HELENA GALVÃO

# PARA ENTENDER O CAIBALION

## A Vivência da Filosofia Hermética e sua Prática nos Dias de Hoje

Editora
Pensamento
SÃO PAULO

Copyright © 2021 Lúcia Helena Galvão Maya.
Copyright © 2021 Editora Pensamento-Cultrix Ltda.
1ª edição 2021. / 6ª reimpressão 2024.

Todos os direitos reservados. Nenhuma parte deste livro pode ser reproduzida ou usada de qualquer forma ou por qualquer meio, eletrônico ou mecânico, inclusive fotocópias, gravações ou sistema de armazenamento em banco de dados, sem permissão por escrito, exceto nos casos de trechos curtos citados em resenhas críticas ou artigos de revista.

A Editora Pensamento não se responsabiliza por eventuais mudanças ocorridas nos endereços convencionais ou eletrônicos citados neste livro.

**Figura 1**: Fine Art Images/AGB Photo Library; **Figura 2**: Historical Views/AGEFotostock/AGB Photo Library; **Figura 3**: Fine Art Images/AGB Photo Library; **Figura 4**: TopFoto/AGB Photo Library; **Figura 5**: Marco Clarizia/Dreamstime/AGB Photo Library; **Figura 6**: Domínio público; **Figura 7**: Heritage-Images/TopFoto/ AGB Photo Library; **Figura 8**: Photojogtom/Dreamstime/AGB Photo Library; **Figura 9**: Fotosearch/AGB Photo Library; **Figura 10**: Fotosearch/AGB Photo Library; **Figura 11**: Fotosearch/AGB Photo Library; **Figura 12**: Fotosearch/AGB Photo Library; **Figura 13**: Fotosearch/AGB Photo Library; **Figura 14**: Fotosearch/AGB Photo Library; **Figura 15**: Fotosearch/ AGB Photo Library; **Figura 16**: Photojogtom/Dreamstime/AGB Photo Library; **Figura 17**: Fotosearch/AGB Photo Library; **Figura 18**: Fotosearch/AGB Photo Library; **Figura 19**: Photo Researchers/Science Source/AGB Photo Library; **Figura 20**: Fotosearch/AGB Photo Library; **Figura 21**: Fotosearch/AGB Photo Library; **Figura 22**: Fine Art Images/AGB Photo Library; **Figura 23**: Depositphotos; **Figura 24**: Fotosearch/AGB Photo Library; **Figura 25**: Heritage-Images/TopFoto/ AGB Photo Library; **Figura 26**: Fotosearch/AGB Photo Library.

**Editor**: Adilson Silva Ramachandra
**Gerente editorial**: Roseli de S. Ferraz
**Preparação de originais**: Danilo Di Giorgi
**Gerente de produção editorial**: Indiara Faria Kayo
**Editoração eletrônica**: Join Bureau
**Revisão**: Adriane Gozzo

### Dados Internacionais de Catalogação na Publicação (CIP)
### (Câmara Brasileira do Livro, SP, Brasil)

Galvão, Lucia Helena
  Para entender o caibalion: a vivência da filosofia hermética e sua prática nos dias de hoje / Lucia Helena Galvão. – 1. ed. – São Paulo: Editora Pensamento, 2021.

ISBN 978-85-315-2148-5

1. Filosofia 2. Hermetismo I. Título.

21-74856      CDD-100

Índices para catálogo sistemático:
1. Filosofia 100
Aline Graziele Benitez – Bibliotecária – CRB-1/3129

Direitos reservados
EDITORA PENSAMENTO-CULTRIX LTDA
Rua Dr. Mário Vicente, 368 – 04270-000 – São Paulo – SP – Fone: (11) 2066-9000
http://www.editorapensamento.com.br
E-mail: atendimento@editorapensamento.com.br
Foi feito o depósito legal.

# Sumário

**Prefácio** .................................................................... 9

**Introdução:** Como travei contato com o livro. Sua vital importância e as razões de pretender analisá-lo sob o olhar da Filosofia, tornando-o mais claro e aplicável para o público em geral ................................................. 21

## PARTE I: Premissas

**Capítulo I:** A Filosofia Hermética: suas principais características e seus paralelos com a sabedoria de outras tradições. Ideias gerais sobre o conhecimento filosófico no Antigo Egito e as premissas de *O Caibalion*... 27

**Capítulo II:** O *Caibalion* e suas chaves ...................... 57

**Capítulo III:** O Todo: a natureza de Deus e da criação do Universo ............................................................. 61

**Capítulo IV:** O Universo Mental e os planos da manifestação............................................................ 67

**Capítulo V:** Onipresença e consciência: mitos e histórias.................................................................... 75

## PARTE II: As Leis Herméticas

**Capítulo VI:** O Princípio do Mentalismo................. 83

**Capítulo VII:** O Princípio da Correspondência................. 93

**Capítulo VIII:** O Princípio da Vibração: os patamares vibratórios do Universo. O nome interno e a depuração do gosto............................................................. 101

**Capítulo IX:** O Princípio da Polaridade: o ensinamento do termômetro e a reversão de um polo a outro através da ferramenta da vontade.............................. 111

**Capítulo X:** O Princípio do Ritmo: a compreensão de sua presença no mundo, as polaridades excessivas e o preço a se pagar por elas. A neutralização e sua extensão até a superação da dualidade.................. 121

**Capítulo XI:** A causalidade: suas relações com a lei indiana do Karma. Possibilidade de domínio das causas............................................................................ 131

**Capítulo XII:** O Gênero como pai/mãe do Universo em todos os planos. A responsabilidade sobre aquilo que geramos............ 139

**Capítulo XIII:** O Gênero Mental: a fresta por onde sempre somos manipulados; como se proteger............ 145

**Capítulo XIV:** Axiomas Herméticos: o Conhecimento é destinado ao uso............ 155


**Conclusão:** A vivência do *Caibalion* nos mais diferentes contextos da vida............ 161

**Perguntas e Respostas**............ 165

**Referências Bibliográficas**............ 183

# Prefácio

Escrever o prefácio de um livro como este não foi tarefa fácil, tanto pela magnitude dos ensinamentos do *Caibalion* quanto pela grandeza da explicação que a professora e filósofa Lúcia Helena Galvão Maya nos transmite sobre os ensinamentos ali guardados. O livro que agora está em suas mãos cumpre o papel de um manual didático, que nos ensina a compreender e a relacionar com a vida uma série de ensinamentos oriundos de uma antiga e enigmática escola de pensamento filosófico denominada Hermetismo.

O Hermetismo, ou filosofia hermética, teria sido estabelecido por um sábio conhecido como Hermes Trismegisto, que teria vivido no Antigo Egito. Pouco se sabe sobre a existência desse homem, mas sua memória e imagem foram preservadas e reverenciadas por meio das deidades Thot: (pelos povos egípcios) e, posteriormente, por Hermes (pelos povos gregos). Um conjunto constituído de sete ensinamentos básicos dessa filosofia hermética foi selecionado, reunido e resumido, tornando-se conhecido pelo termo *Caibalion*, transmitido oralmente – de boca a ouvido – durante séculos.

Entretanto, foi somente no início do século passado, mais precisamente em 1908, que os ensinamentos do *Caibalion* foram escritos e impressos em formato de livro, o qual recebeu o título *O Caibalion: Estudo da Filosofia Hermética do Antigo Egito e da Grécia*. Coerente com a gênese e a tradição de transmissão hermética dos ensinamentos do *Caibalion*, o livro impresso não teve a autoria creditada a um homem ou a uma mulher, mas a indivíduos que se autodenominavam Três Iniciados. O livro apresenta princípios ou leis universais acompanhados das respectivas elucidações, as quais não são facilmente compreensíveis; ao contrário, exigem por parte do leitor interessado esforço de reflexão e considerável trabalho de estudo. São justamente esses preceitos herméticos que a professora Lúcia Helena aborda neste livro, cuja semente tem origem em uma série de 15 encontros do grupo de leitura comentada de *O Caibalion*, ministrado pela professora durante o ano de 2017 na escola de filosofia Nova Acrópole, em Brasília.

Com linguagem acessível e ilustrada por diversos exemplos, Lúcia Helena nos ajuda a desvendar os preciosos ensinamentos contidos em *O Caibalion* e, principalmente, a compreender como estes conhecimentos podem ser observados em nossa rotina diária. Desta forma, a obra atende ao objetivo de preencher uma lacuna necessária e muito particular, que é explicar ao leitor contemporâneo aquilo que havia sido explicado "hermeticamente" ao leitor do século passado.

## O Hermetismo em perspectiva: quando o *Caibalion* chega às Américas

Como arqueóloga, não posso deixar de me interessar pelo livro em si mesmo, ou seja, pelo objeto material que embalou e possibilitou a difusão desses ensinamentos aos estudantes e leitores interessados do mundo contemporâneo. Sob o título *The Kybalion: A Study of the Hermetic Philosophy of Ancient Egypt and Greece*, a obra foi originalmente publicada nos Estados Unidos, em 1908, pela Yogi Publication Society, editora situada em um dos pavimentos destinados a lojas no edifício Masonic Temple Building, o mais alto arranha-céu de Chicago à época. A editora havia sido fundada pelo norte-americano William Walker Atkinson (1862-1932), ex-advogado que, dando uma guinada na vida, se tornou escritor, editor, conferencista e autor de vasta produção literária sobre filosofia oriental e temas relacionados[1].

---

[1] Philip Deslippe, historiador da religião nos Estados Unidos, tem como tema de investigação a biografia de William Walker Atkinson, quem considera ter sido o autor de *O Caibalion*. Segundo o investigador, Atkinson exerceu várias atividades profissionais, inclusive a advocacia. Após passar por alguns períodos de conturbação, Atkinson desapareceu por algumas semanas e reapareceu com nova postura diante da vida, marcada pelo entusiasmo e pelo interesse em filosofias de cunho prático e de autoaperfeiçoamento. Foi nesse momento que ele se mudou da Pensilvânia para Chicago, onde deu início à carreira de escritor e

A publicação original histórica de *O Caibalion* contempla 228 páginas encadernadas e envoltas por capa dura em tecido azul-escuro. Na parte superior da capa destaca-se o título, com elegantes letras douradas inseridas em uma figura retangular, também delineada em dourado, a qual apresenta as extremidades abauladamente pontiagudas, como as de um travesseiro. Simples e austero, esse *design* tipográfico parece conferir a ideia da revelação de um conhecimento de ouro que ilumina o céu tempestuoso das questões existenciais da humanidade sobre si mesma e sobre o Universo. Ocupando posição quase central na capa, há a imagem de um triângulo envolto por dois círculos concêntricos de diferentes espessuras. Dentro desse triângulo equilátero nota-se um terceiro círculo, o qual abrange, dentro de si, uma figura de aspecto solar, da qual irradiam dezesseis raios. Toda essa iconografia dotada de simbolismo também recebeu tratamento dourado. O livro mede aproximadamente 12,5 cm × 18,5 cm.

Paralelamente, no Brasil de 1908, a editora paulista Pensamento completava seu primeiro ano de existência. Dedicada inicialmente à publicação de obras de cunho filosófico-espiritual, a editora foi responsável, em 1912, pela primeira edição de

---

onde fundou a Yogi Publication Society. Além de assinar livros e artigos com o próprio nome, Atkinson também utilizou pseudônimos como Yogi Ramacharaka, Theron Q. Dumont e Magnus Incognito.

*O Caibalion* em língua portuguesa[2], versão que continua sendo reimpressa até hoje.

Este é, portanto, um breve relato sobre a história do livro *O Caibalion*, fonte de estudos sobre a filosofia hermética utilizada pela professora Lúcia Helena para explicar ao leitor contemporâneo como as sete leis herméticas são expressas e verificáveis em nossa vida à medida que nos tornamos mais conscientes. Fui aluna da professora em alguns módulos do curso de filosofia na Nova Acrópole, em Brasília, e tive a grata oportunidade de integrar o primeiro grupo de leitura comentada ministrado por ela sobre *O Caibalion*. Isso aconteceu em meados de 2012, algumas semanas após o meu retorno de uma viagem fotográfica ao Egito. Hoje, ao folhear o exemplar que utilizei durante os encontros do grupo de leitura, revejo minhas anotações escritas a lápis, as frases realçadas com canetas coloridas e constato, uma vez mais, quão importante e decisivo foi ter Lúcia como instrutora daqueles ensinamentos.

### Lúcia Helena Galvão Maya: filósofa por vocação, professora por amor

Nascida em 22 de dezembro de 1963 em uma maternidade vizinha ao Cristo Redentor, a menina Lúcia viveu na cidade carioca até os 9 anos de idade, quando a família se mudou para Brasília, em 1973, por ocasião de uma oferta de trabalho

---

[2] Tradução realizada por Rosabis Camaysar.

recebida pelo pai. Da infância na cidade, recorda-se da presença da avó Julieta, que, mesmo sendo uma pessoa bastante simples, tinha sempre bons conselhos na ponta da língua, além de ser dotada de certa sensibilidade metafísica para as questões da vida. Pensadora inquieta desde tenra idade, a menina parecia preferir a companhia dos livros às brincadeiras de rua. O que estou fazendo neste planeta? Quem são estas pessoas? Por que existem tantas estrelas? E, depois delas, tem o quê? Estas eram algumas das perguntas que ela própria se fazia no auge dos 13 anos de idade e às quais ela também cuidava de inventar teorias para responder. Em entrevista concedida a mim, Lúcia contou que a única referência filosófica com a qual teve contato durante a adolescência foram os escritos de Machado de Assis. Cresceu acreditando que somente através do conhecimento iria encontrar uma saída e seu lugar no mundo. E ela estava certa.

Entretanto, encontrar seu lugar e traçar a própria rota de vida foi uma busca regida pelo próprio tempo. A grande e decisiva reviravolta na vida de Lúcia Helena aconteceu em 1989, quando conheceu a obra de Platão durante uma aula ministrada na escola de filosofia Nova Acrópole que versava sobre as formas de governo descritas pelo filósofo grego em sua obra *A República*. Desde então, a história de vida da professora Lúcia Helena Galvão Maya é praticamente indissociável dessa instituição filosófica, da qual se tornou professora e tem dedicado suas atividades altruísticas de ensino há mais de três décadas.

As primeiras aulas ministradas por Lúcia Helena, então uma jovem tímida de 25 anos, aconteceram em 1989, mas ela antes teve de lidar com a dificuldade de falar em público. Insistente e persistente, foi aprimorando seu método de ensino até encontrar a uma maneira própria de transmitir o conhecimento filosófico. Em determinado momento, descobriu sua receita, a qual utiliza até hoje em suas comunicações, que é a de reunir aquilo que de mais belo conhece e mesclar aos temas de aula, criando, assim, seus exemplos únicos e muito ilustrativos. Quem já presenciou ou ouviu uma palestra da professora percebe imediatamente sua capacidade de provocar em nós as reflexões mais profundas e necessárias sobre nossa experiência de vida.

Em sua carreira como escritora, Lúcia Helena Galvão Maya publicou livros que reúnem poesias e crônicas filosóficas, como *Canções para Despertar Sophia* (2000), *Sonhos Trilhando o Tempo* (2005), *Instantes de um Tempo Interior* (2011), *Observações Matinais* (2015) e *O Aroma do Lótus* (2020). Também atuou na área da música, compondo melodias e escrevendo algumas letras, e, nesse âmbito, seu poema intitulado "Prudência" (2008) foi musicado por Keco Brandão e interpretado pela cantora Zizi Possi em 2019. No ano seguinte, Lúcia Helena estreou como redatora de roteiros teatrais com a peça *Helena Blavatsky, a Voz do Silêncio*, monólogo interpretado pela atriz Beth Zalcamn.

## Da sala de aula para a sua casa: a filosofia adoçada pelo mel das palavras

Julgo ser interessante para o leitor saber como as aulas de filosofia da professora Lúcia Helena transpuseram as salas de aula de sua escola até chegarem às nossas casas por meio dos recursos tecnológicos de som e de imagem. Essa história tem início em 2006, quando uma palestra da professora Lúcia Helena foi gravada em vídeo pela primeira vez, com a intenção de difundir a filosofia para além das paredes das salas de aula da instituição. A iniciativa partiu da aluna Luana Le Roy[3], que acreditava que os ensinamentos filosóficos ministrados pela professora deveriam alcançar um número maior de pessoas, tanto pela maneira profunda e de fácil acesso com a qual ela transmite seus ensinamentos quanto pela precisão dos exemplos e das histórias ilustrativas por ela apresentados. Embora nunca houvesse manipulado uma câmera de vídeo antes, Luana estava convicta de que o recurso audiovisual poderia ser uma poderosa ferramenta de difusão daquele precioso conteúdo filosófico. Assim, lançou

---

[3] Luana Nogueira Le Roy (Rio de Janeiro, 1954) é sobrinha de um contrarregras do cinema francês e filha de um tradutor e legendista do cinema francês para o português. Estudou arquitetura, profissão que exerceu por alguns anos, antes de migrar para a docência de artes plásticas para crianças e adultos. Passou a estudar filosofia em 2002, aos 48 anos, ocasião em que conheceu a professora Lúcia Helena justamente durante uma palestra sobre o *Caibalion*.

a proposta de filmar as palestras, ideia que prontamente agradou à professora.

Adaptada aos meios e às circunstâncias, Luana adquiriu uma câmera de vídeo e um tripé para registrar as palestras, tarefa a que desempenha até hoje. Luana lembra que, no início, sua câmera utilizava um disco com capacidade para apenas trinta minutos de gravação e que, por esse motivo, fazia sinal para a professora Lúcia pouco antes de terminar esse tempo-limite, quando a professora abria, então, espaço para perguntas do público; nesse meio-tempo, um novo disco era inserido para continuar a gravação. Ainda sobre essa época, Lúcia Helena afirma que Luana Le Roy iniciou seu trabalho de forma solitária e que, generosamente, fazia a doação de todo material necessário, gravava as palestras e as reproduzia em DVD, criava embalagens e o que mais fosse preciso para o processo de divulgação. Logrando boa aceitação, as gravações das palestras passaram a ser distribuídas para as demais filiais da escola de filosofia, e presentear amigos e familiares com os DVDs na época do Natal tornou-se um hábito entre os alunos da instituição. Dessa forma, as aulas filosóficas da professora Lúcia Helena começaram a adentrar as portas do mais diversos lares brasileiros.

A partir de 2007, as palestras passaram a ser disponibilizadas no YouTube, fato muito inovador, tendo em vista que a plataforma de compartilhamento de vídeos havia sido criada apenas dois anos antes. A palestra *O Caibalion, Sabedoria Egípcia Hermética,* com cerca de uma hora e meia de duração, foi publicada no canal da escola de filosofia em 2015 e, passados dois anos, tornou-se repentinamente um fenômeno de audiência, saltando de 850 para 9 mil visualizações em um só dia. Deste então, o interesse do público brasileiro pelo *Caibalion* tem se tornado cada vez maior[4].

Indaguei à professora Lúcia Helena os motivos para esse interesse exponencial pelos ensinamentos de *O Caibalion* e o que tem motivado o público a buscar seu entendimento à luz da filosofia por ela explicada. Segundo ela, o interesse se deve ao fato de que as Sete Leis Herméticas, quando compreendidas, podem ser facilmente observadas e constatadas na vida cotidiana, além de funcionarem como um manual de instruções para a vida à medida que as pessoas começam a desenvolver certa sensibilidade metafísica. Sobre a procura do público por uma compreensão filosófica de *O Caibalion*, a professora acredita que isso se deve ao fato de que suas explicações são isentas de ideologias e não pendem para nenhum lado, exceto para os ensinamentos contidos na própria obra, além de trazerem boa reflexão e bom desenvolvimento de ideias.

Assim, em 2017, a professora e filósofa Lúcia Helena preparou e realizou uma série de 15 conferências sobre os ensinamentos de *O Caibalion*. Além de dedicar palestras inteiramente consagradas a cada um dos sete princípios herméticos descritos

---

[4] Em junho de 2021, a referida palestra já havia alcançado a marca de 2.430.000 visualizações no YouTube. (N. do P.)

na obra, as conferências também trataram de temas conexos e essenciais ao seu entendimento, desde a contextualização da Filosofia Hermética no tempo histórico até o momento em que os preceitos de *O Caibalion* chegam ao Ocidente através de uma publicação atribuída aos Três Iniciados. Foi justamente essa série de conferências que originaram a redação do livro que você, leitor, segura agora nas mãos e cuja leitura vai proporcionar o entendimento dos maravilhosos ensinamentos de *O Caibalion*.

Boa leitura!

– Kenia de Aguiar Ribeiro Lisboa,
8 de abril de 2021.

# Introdução

Se levarmos em consideração a tão disseminada etimologia da palavra Filosofia, supostamente pronunciada pela primeira vez por Pitágoras com o significado de amor ou amizade à sabedoria, não é difícil imaginar que a curiosidade de um amigo ou amante desta natureza não se deteria diante de civilizações como Índia, Egito e outras. O nascimento, na Grécia, do chamado pensamento filosófico/científico demarca uma forma racional de abordar o conhecimento, mas jamais se pode imaginar tratar-se da primeira ou da única abordagem do tipo já feita ao longo da história. Algumas civilizações souberam trilhar outros caminhos de linha simbólico-mística com grande sucesso no que se refere aos achados que chegaram a realizar. As duas civilizações que citamos há pouco – egípcia e hindu – demonstram muito bem o que foi dito.

Sempre alimentei um vivo interesse pelo conhecimento de ambas as civilizações e, no caso do Egito, pelo estudo de todos os livros que compõem o *Corpus Hermeticum*, pelos papiros do "Livro da Oculta Morada" e outros, como o *Conversations in the House of Life: A New Translation of the Ancient Egyptian Book of Thoth*.[5]

O encontro com um livro escrito em 1908 por supostos três autores anônimos tratando de Sete Leis Herméticas do Egito, sob o título *O Caibalion*, causou-me, no mínimo, certa estranheza e curiosidade. Como o bom espírito filosófico não nos permite excluir aquilo que não conhecemos apenas porque nos causa estranheza, lancei-me à leitura dele, o que foi uma aventura de grande valia. O livro, breve e com linguagem um tanto diferenciada, adaptada ao momento em que foi escrito, trata de temas inegavelmente presentes e dispersos ao longo da literatura egípcia autêntica. Também comete a extrema ousadia de interpretar e explicar esses temas, e o mais surpreendente é que o faz com muita sensatez e propriedade, sem cair em desvios para o exotismo ou a fantasia, tão comuns em nossos dias quando o tema é o conhecimento do Antigo Egito.

*O Caibalion* é constituído de sete frases muito pequenas, mas com simbolismos bem significativos. Fato curioso – já por mim constatado, sobretudo em relação aos pensadores do passado – verifica-se na relação direta entre o conhecimento e a capacidade

---

[5] Traduzido para o inglês e comentado por Richard Jasnow e Karl-Theodor Zauzich, entre outros.

de síntese por parte dos antigos mestres.[6] Em geral, falavam muito pouco e queriam dizer muito, deixando o trabalho de decodificação de seus significados para os leitores. Era necessário um "Abre-te, Sésamo!", o que exige a habilitação necessária para conquistar a palavra sagrada (*hieros logos*)[7] que franqueia a passagem. Essa tendência contraria o hábito de parte significativa de nossa literatura mais recente, que, parodiando o escritor espanhol Baltazar Gracián, muitas vezes é extensa, mas não muito intensa, ou seja, não é profunda nem transformadora.

É óbvia a impossibilidade de esgotar as máximas herméticas[8] neste despretensioso livro, que intenciona tão somente oferecer uma visão geral sobre o tema, para que o leitor tenha noção do quanto há para saber.

Todos conhecem aquela famosa frase atribuída a Sócrates, filósofo grego, que declara: "Só sei que nada sei". Ela pode parecer uma brincadeira, e chegamos a nos perguntar o sentido em dizer-se algo assim. Mas uma reflexão mais profunda nos mostra que dizê-lo com honestidade exige significativo grau de sabedoria. Em geral, com nossa arrogância e vaidade, alimentadas

---

[6] Pode-se citar, por exemplo, a forma sucinta como o *Tao Te King*, de Lao Tsé, e as *Máximas de Ptah-hotep* exprimem seus ensinamentos.

[7] "Mais que mil palavras sem sentido, vale uma só que traga consolo a quem a ouve", diz o Dhammapada. A palavra sagrada é aquela que desperta o ouvinte para a percepção da própria essência em alguma medida.

[8] "Máximas" dizem respeito a preceitos para o bom viver que muitas obras de caráter filosófico ou mesmo teológico têm por hábito utilizar.

por uma espécie de "positivismo" subconsciente que nos faz crer que somos o ápice da história, pensamos saber muita coisa. Só o vislumbre do tamanho daquilo que há para saber, quando comparado ao tanto que sabemos, permite fazer essa afirmação com clareza e responsabilidade, e esse vislumbre em si já exige grande alcance de visão.

Embora a obra em questão, O Caibalion, guarde a intenção de seu finalmente revelado autor, William Walker Atkinson, de tornar o conhecimento dos ensinamentos do Antigo Egito acessível para o público em geral, ainda há, por vezes, um vácuo a ser preenchido. Há pressupostos de conhecimentos básicos e de ilações que nem sempre são óbvios, e esse distanciamento pode redundar em desinteresse por parte do leitor, que se perde na busca de significados. A intenção deste pequeno manual é construir algumas pontes que facilitem a compreensão e a assimilação de tudo o que é descrito nessa interessante obra, objetivo que espero que chegue a bom termo.

Cada vez que descubro um novo autor, cada vez que vislumbro um novo aspecto da filosofia tradicional, fico impressionada ao dar-me conta de quanto há para sabermos e do pouco que sabemos. Então, proponho a todos passearem um pouco pelo que podemos tentar entender de O Caibalion, e que nosso melhor senso seja nosso guia.

# PARTE I

# PREMISSAS

# Capítulo I

> A "Filosofia Hermética": suas Principais Características e seus Paralelos com a Sabedoria de Outras Tradições. Ideias Gerais sobre o Conhecimento Filosófico no Antigo Egito e as Premissas de *O Caibalion*.

Começaremos por falar um pouco sobre Hermes Trismegisto. Desde onde se tem notícias da existência desse enigmático hierofante[9] egípcio, ele parece, de alguma forma, relacionado simbolicamente ao deus Thot, como se sua imagem e a do deus, que o precede em muito na tradição egípcia, em certo ponto, se aproximassem e se confundissem. Não era raro, em várias tradições do passado, incluir no panteão aquele ser humano especial que causou tanto impacto em sua cultura.

---

[9] Hierofante é, literalmente, "aquele que explica as coisas sagradas". Era o nome dado a sumos sacerdotes no Egito e na Grécia.

A Índia e o Egito – é interessante constatar isso – guardam certa semelhança no fato de serem civilizações repletas de deuses e onde tudo é tomado como sagrado. E existem, no meio de todas essas divindades dos respectivos panteões, seres intermediários entre os deuses e os homens; são seres humanos, mas de alto grau, que comunicam os dois mundos, como "pontífices", em seu original significado, como aquele que ergue e mantém pontes. Os rishis[10] indianos são também seres humanos quase divinos, pontes entre os dois mundos; Narada Muni[11] é um bom exemplo disso. Assim, indianos e egípcios vislumbram, em seu panteão, uma continuidade desde o homem até Deus.

Ainda sobre Hermes Trismegisto, do ponto de vista histórico, hoje, parte significativa dos historiadores duvida de sua existência histórica. Consideram que talvez tenha sido um nome genérico para vários sacerdotes, hierofantes e sábios, o que não é impossível, pois era comum acontecer de o nome não pertencer a um único personagem, mas a uma série deles. Mas recorro ao preceito cristão "pelas vossas obras, vos conhecerei" para endossar meu pensamento de que deve ter havido um ser de fato especial, pois o impacto da pegada histórica corresponde ao peso e à estatura do caminhante que por ali passou.

---

[10] Rishi: "grande sábio", segundo a tradição védica. Foram os rishis que compuseram os hinos dos *Vedas*.
[11] Narada Muni: mensageiro dos deuses, autor de vários textos védicos.

O Hermetismo[12] há de vir, por senso e lógica, de um homem do tamanho daquela tradição: complexa, delicada, profunda e com impacto milenar no curso da história humana. Pela lógica, deve ter havido uma série de "Hermes Trismegistos", porque se trata de um nome genérico. "Hermes" significa fechado, secreto; "Trismegistos" significa aquele que é três vezes iniciado, três vezes sábio. Mas também deve ter havido um ser humano que foi o grande mestre de toda essa série de personagens. Porém, não vou me alongar aqui na descrição de documentos e papiros relacionados ao aspecto histórico do Hermetismo; para aquele que se interesse pelo assunto, posso recomendar uma conferência feita por mim, disponível no Canal da Nova Acrópole no YouTube (www.youtube.com/novaacropole), que aborda a "Tábua de Esmeralda". A primeira parte dessa palestra é dedicada exclusivamente aos dados, aos documentos e às hipóteses levantadas pela investigação histórica de nossos tempos acerca de Hermes Trismegisto.

Temos por hábito dizer, quando uma coisa está muito bem vedada, que ela está "hermeticamente" fechada. Curiosamente, esse nome provém, através dos tempos, da visão popular sobre os mistérios herméticos, em razão de seu grande zelo com o conhecimento, de tal modo que só era transmitido àquelas pessoas que possuíam base moral sólida para portá-lo. É complicado

---

[12] Tradição de conhecimentos cuja origem é atribuída a Hermes Trismegisto, um hierofante.

compreender e aceitar esse tipo de cuidado em nosso contexto atual por conta da nossa vaidade intelectual. Parece ser uma "restrição egoísta de acesso ao conhecimento". Platão também tratava dessa necessidade: dizia ser melhor a ignorância absoluta que o conhecimento em mãos inadequadas. O conhecimento exige base moral que salvaguarde seu uso.

A tradição hermética retratada em O Caibalion possui um aforismo famoso segundo o qual "os lábios da sabedoria só se abrem aos ouvidos do entendimento". Então, tratava-se de um conhecimento transmitido realmente de boca a ouvido, de mestre a discípulo, com todo o cuidado necessário para que não se tornasse algo como "uma faca afiada nas mãos de uma criança".

Há um fato digno de atenção: a retomada do interesse pelo Hermetismo na época do Renascimento. Aliás, às vezes, até antes do Renascimento, podemos observar esse interesse, pois havia relação muito estreita entre a alquimia medieval e o hermetismo: segundo se sabe, não era raro que os construtores de grandes catedrais, as que pejorativamente conhecemos como "góticas", estivessem ligados à chamada Arquitetura Real ou Arquitetura Sagrada, ramo da Alquimia que, como em todo o restante desta arte, era pouco mais que Hermetismo prático encoberto para passar despercebido ante os olhos vigilantes da rígida teologia medieval.

Para ilustrar aspectos do Hermetismo na Renascença, chamo a atenção para o famoso mosaico da Catedral de Siena, na

*Hermes Trismegistus*, atribuído a Stefano di Giovanni. Duomo de Siena, 1488. Na legenda sob a figura central lê-se "Hermes Mercurius Trismegistus, contemporâneo de Moisés".

Itália, onde se pode ver a figura de Hermes ensinando a ninguém menos que Moisés.

O *Corpus Hermeticum* parece ter vindo ao conhecimento público, traduzido para o grego, provavelmente por uma demanda da famosa Biblioteca de Alexandria, por volta dos séculos II a IV d.C. Mas aí surge a questão: ele veio à tona ou foi criado nesse momento? Parte dos pesquisadores responsáveis pela ciência histórica de nossos tempos crê que esses documentos que vieram a compor o *Corpus* foram concebidos nesse mesmo momento em que foram redigidos. Mas uma coisa é indiscutível: ainda que tenham sido redigidos em grego nesse contexto, sendo essa a sua forma escrita mais remota já localizada, seus conhecimentos, transmitidos por via oral, provavelmente não nasceram ali. Mas, seja como for, o fato é que um conjunto de textos herméticos começou a circular, muito secretamente, pela Europa dos séculos III ou IV. E, mais tardiamente ainda, surge um material chamado "Tábua de Esmeralda", que passou a circular por volta do século VII.

Hoje, já não é surpresa para ninguém o fato de que a Alquimia medieval, praticada secretamente em diversos pontos da Europa durante a Idade Média, fosse voltada, sobretudo, para textos de origem hermética. A transmutação do chumbo em ouro, real ou fictícia, não deixava de ser um símile para a transmutação real do homem de chumbo em homem de ouro, ou seja, da busca hermética pela sabedoria. Mas a fachada de "químicos" ambiciosos por ouro era bem mais tolerável pela vigilância atenta da Igreja medieval que qualquer forma de busca metafísica, ou seja, era uma espécie de interface possível, ainda que não destituída de pesados riscos.

Esse conhecimento, então, começa a florescer na Europa pouco antes do início da Idade Média e ganha grande impulso na época do Renascimento. Em 1460, o mecenas Cosme de Médici[13] recebeu, das mãos de um monge vindo da Macedônia, uma cópia do *Corpus Hermeticum* que continha 14 dos 15 tratados da coleção original. Marcílio Ficino[14] o traduziu para o latim em 1463.

Aqui temos o nascimento da chamada Academia Platônica de Florença, que, além de platônica, possuía grande interesse em conhecimentos antigos em geral: vivaz e amante da verdade, assim como seu patrono, voltava a promover o ofício de rastrear o conhecimento deixado para trás, nos meandros da história.

Tudo isso foi bastante facilitado pela chegada, nas cidades-estados italianas, de comentários trazidos de Constantinopla (Bizâncio) relacionados ao hermetismo, por exemplo, graças ao contato intenso havido na época que precede à invasão dos

---

[13] Banqueiro e político do século XV, fundador da Dinastia dos Médici, grande mecenas da filosofia e das artes em Florença, no Renascimento. Foi o fundador da Academia Platônica de Careggi.

[14] Filósofo italiano que, ao lado de Giovanni Pico Della Mirandola, está entre os maiores representantes da filosofia renascentista italiana do século XVII.

turcos otomanos. Assim, o que havia sido esquecido no Ocidente, em outras terras, continuava vivo. Destaca-se aí a figura misteriosa de Jorge Gemistos Pleton, sábio bizantino neoplatônico que aporta em Florença com a comitiva do imperador bizantino João VIII Paleólogo durante o famoso Concílio de Basileia/Ferrara/Florença, e tem influência decisiva sobre Cosme de Médici e na criação da Academia Platônica de Florença. Trata-se de uma história extremamente interessante, mas que foge ao objetivo deste pequeno livro, voltado a um assunto correlato, mas não idêntico.

Referências históricas de pensadores que fazem menção aos textos herméticos:

- Lactâncio (240/320 d.C.)
- Clemente de Alexandria (150/215 d.C.)
- Santo Agostinho (354/430 d.C.)
- Tomás de Aquino (1225/1274)
- Alberto Magno (1206/1280)
- Roger Bacon (1214/1294), que o chamava de "pai dos filósofos".

Recentes traduções de textos encontrados na biblioteca de Nag Hammadi,[15] Códice VI, contêm ao menos três escritos inéditos pertencentes ao *Corpus Hermeticum*:

---

[15] Textos gnósticos do cristianismo primitivo até 325 d.c. descobertos por um camponês em 1945.

- Discurso sobre a Ogdóade e a Enéada.
- Prece de ação de graças (Fragmentos do Discurso Perfeito, de Asclépio, com comentário manuscrito).
- Asclépio 21-29 (Fragmento do Discurso Perfeito).

Pode-se dizer que *O Caibalion* se apoia muito nos *Preceitos da Tábua de Esmeralda* e também em reflexões sobre alguns dos livros do *Corpus Hermeticum*, como o *Poimandres*, o *Discurso Universal* e o *Discurso Perfeito*. São sintetizadas a partir desse *corpus*, ou coleção de textos, sete leis universais, as quais deveriam reger, com todos os inúmeros desdobramentos, todas as realidades do universo manifestado, nos sete planos, do mais concreto ao mais sutil. Cada lei é muito apropriadamente comentada, dando a entender que seu autor,[16] que trouxe esses textos a público em 1908, deve ter recebido alguma assessoria de pessoas mais habilitadas que ele próprio para a interpretação do modelo de pensamento do Antigo Egito. Talvez essas pessoas fossem ligadas à Teosofia, movimento que lhe foi contemporâneo, ou a outra linha qualquer, mas é certo que conheciam bem o delicado terreno sobre o qual pisavam.

É certo que existem várias chaves para a interpretação de um texto simbólico, e nenhuma delas pode ter a ambição de esgotar sozinha todos os seus significados. Esse campo da interpretação simbólica exige seriedade, muito critério, sensatez e,

---

[16] William Walker Atkinson, como já citado.

Cópia de uma herma de mármore grega datada de um período entre 450-425 a.C. Metropolitan Museum of Art de Nova York.

sobretudo, boa dose de humildade. Helena Blavatsky, pensadora brilhante do século XIX, diz: "Um mito legítimo tem, pelo menos, sete portas, sete chaves", e é possível constatar isso.

Apresento, nesse sentido, um desafio ao leitor: leia um livro de caráter simbólico e grave a data em que o fez. Daqui a dez anos, leia o mesmo livro de novo. Se você, nesse meio-tempo, tiver amadurecido como ser humano, aperfeiçoando seu caráter, o domínio do seu temperamento e a prática de valores, o livro vai lhe parecer outro. Recomendo, inclusive, que guarde o mesmo exemplar para não achar que está lendo outra tradução

Ilustração de uma representação do que seria a Tábua de Esmeralda. Da obra *Amphitheatrum Sapientiae Aeternae, Solius, Verae* (1595), de Heinrich Khunrath, médico, filósofo hermético e alquimista alemão. Alguns dos princípios do *Caibalion* foram retirados da Tábua de Esmeralda.

e que, naquele livro lido há dez anos, não havia nada como isso, escrito... Havia, sim, está lá, marcado por você. É impressionante como abrimos portas externas quando abrimos portas dentro de nós. "Quanto mais dentro, mais fora": esse é um princípio bastante curioso e que se verifica de fato, na prática de nossa vida, quando crescemos como seres humanos.

Então, além do *Corpus Hermeticum*, também se diz que o chamado *Livro dos Mortos* do Antigo Egito teria sido feito sob profunda influência de Hermes Trismegisto. É importante abrir aqui um parêntese para entender um pouco melhor em que consistia o *Livro dos Mortos* do Antigo Egito, que não possuía, na realidade, esse nome e ficou posteriormente conhecido como o *Livro da Saída da Alma à Luz* ou *Livro da Oculta Morada*. Não se trata de um livro propriamente dito, mas de uma coletânea de papiros com conhecimentos e preceitos sobre o que acontece com o homem após a morte, feitos por encomenda para vizires, escribas e altos funcionários da hierarquia egípcia.

Acerca desse tema, os egípcios tinham uma visão – ainda a possuímos na memória, embora não mais na prática – de que um dos maiores males do homem é o esquecimento. Não adianta conhecermos muitas instruções se, ao chegar o momento da morte, por medo, esquecermos tudo que nos foi ensinado a respeito do processo que deve ser enfrentado. Assim, cada vez que uma pessoa de relevância e posses sentia necessidade de relembrar, para garantir que não perderia a memória de orientações tão necessárias para guiar seu deslocamento no além, mandava escrever as ações importantes que teve na vida em seu *Livro dos Mortos* pessoal e, ainda, o que deveria fazer na presença dos deuses após deixar o corpo.

O *Livro dos Mortos* (é bom relembrar que algumas edições da obra trazem uma bela introdução assinada por Carl Jung,

*Papiro de Hunefer*, no qual se mostra a *Pesagem do Coração do Morto Ante a Balança de Maat*, deusa da Justiça. Novo Império (19ª dinastia, 1275 a.C.). Tebas, Egito. Encontra-se hoje no Museu Britânico, como documento no EA9001.

pai da Psicologia Analítica, uma vez que se tratava de um dos seus livros prediletos) contém uma série de vinhetas que são uma compilação de vários papiros (tal como o papiro de Ani, o papiro de Nu e outros) encontrados em múmias, algumas delas de escribas, com histórias similares, sempre com base na conduta moral dos falecidos. Era muito importante que o morto se lembrasse dos atos praticados em vida na hora da pesagem do seu coração, momento em que teria de fazer a confissão negativa, implorando ao seu coração que não depusesse contra ele ante a balança de Maat e recitando os crimes e as faltas que não havia cometido.

Quando se chegava diante de Thot, Anúbis, Maat e dos juízes, no Duat,* realizava-se a operação de pesar o coração do morto, colocado em um dos pratos da balança, e seu peso deveria ser menor que o da pluma de Maat, a Deusa da Justiça, cujo atributo era exatamente essa pluma presa ao seu toucado. Se o coração do morto fosse mais pesado que a pluma, significaria que esse ser humano amava demais as coisas do mundo, que pesam, e que, portanto, deveria voltar para onde seu coração apontava. Descrever esse processo em um papiro funcionava como lembrete para se defender no julgamento de sua vida. O *Livro dos Mortos* – assim como a história de Ísis, Osíris, Hórus... – foi transmitido por escribas e compilado eventualmente em paredes de templos e em papiros a pedido de pessoas particulares que não queriam se esquecer dos seus feitos e do mapa de seu destino. Há quem acredite que quem organizou a escrita e a prática cerimonial relativa aos mistérios de Ísis e Osíris no Egito também teria sido Hermes Trismegisto.

Sabe-se que grande parte da tradição do Egito – e até mesmo da Índia – permaneceu por muito tempo reservada à oralidade. Normalmente, redigia-se um texto sagrado por prudência,

---

* O Duat seria, conforme mitologia egípcia do Império Médio (2000 a.C.--1580 a.C.), o submundo para onde vão as almas dos mortos. Conhecido também como Amenthes, Neter-Khertet ou Tuat, é a dimensão na qual reina Osíris, outros deuses egípcios e criaturas sobrenaturais diversas. Cobre vasta área sob a Terra e está ligado a Nun, as águas do "abismo primordial". (N. do E.)

quando se aproximava um ciclo de decadência e esquecimento. Era melhor redigir esses textos nesses momentos, pois já não se confiava tanto assim na memória e no discernimento dos líderes egípcios, o que evitava que se distorcessem ou se perdessem os conhecimentos ali reproduzidos, ou seja, o espírito do Egito (embora sabedores de que a redação é sempre também uma redução). Porém, em épocas áureas dessas civilizações, evitava-se escrever o conteúdo dos textos sagrados, pois as pessoas consideravam que a palavra nunca consegue refletir tudo aquilo que se quer dizer, sem perdas. E observe-se que estamos falando de uma linguagem mais rica que a nossa: as línguas de hoje são muito pobres em recursos simbólicos, muito exclusivamente denotativas. O hieróglifo era uma linguagem que podia expressar muita coisa que já não podemos mais entender, quiçá expressar; porém, ainda assim, os grandes escribas do Egito viam sua versão escrita como redução.

Podemos imaginar aqui como Hermes Trismegisto, um homem, um grande sábio, um hierofante, um sacerdote dos chamados "mistérios egípcios", veio a sofrer uma espécie de "mutação simbólica" ao longo dos tempos, sendo associado à imagem de um íbis, ave de bico fino, o qual pode ser introduzido em um formigueiro e permitir a escolha de uma formiga específica, o que representa a virtude do discernimento, a capacidade de distinguir, de separar o bom grão, como se diz popularmente. É necessário, para esse ofício, especial discernimento e inteligência (do latim *intelegere*, escolher entre). Hermes Trismegisto é, então, associado ao deus Thot, escriba dos deuses, senhor do conhecimento, que transmite as leis do céu para a terra, cuja representação é exatamente a de um íbis. É também, por vezes, associado ao deus Anúbis, aquele que enxerga na escuridão.

Mesmo sabendo que os gregos possuíam grande consideração por Hermes Trismegisto e pelo Egito (filósofos como Platão e outros andaram por lá, pois naquele tempo era considerado ser necessário que um grande pensador tivesse contato com a sabedoria do Egito), a mentalidade grega tinha matiz mais racional, diferente da egípcia, que prima pelo caráter sagrado, simbólico e intuitivo. Então, não fazia sentido para os gregos introduzir em seu panteão uma deidade com a aparência de uma ave. Assim, associaram o espírito do deus Thot/Hermes à figura do deus grego Hermes, que é também um mensageiro e faz a comunicação entre céu e terra.

A mentalidade de capturar a essência de um ser simbólico e vesti-lo mais uma vez para uma nova encruzilhada espaço/ tempo, de tal forma que ele se torne mais acessível à imaginação humana daquele contexto, mas que sua essência não se perca nem deixe de lançar luz sobre aquela civilização, era conhecimento prático de ordem comum naqueles tempos. Hoje, em nossa civilização embasada em alta tecnologia, já não dominamos a "técnica" necessária para tanto, ou seja, para dar novos corpos para vestir as mesmas essências, a fim de construir nossos próprios mitos. Ao não possuirmos entre nós algo que represente ideias como o amor, a justiça, a fraternidade e a sabedoria, entre outras, esses valores se banalizam, parecem antiquados, apresentam-se e são vividos de forma rasa, quando não vulgarizada. Quando vemos a justiça representada como uma mulher greco-romana, nossa mente, grande caçadora de rotas de fuga para evitar o caminho árduo de construir em si um ser humano pleno, argumenta: "Em Roma, era fácil viver esses valores; hoje, os tempos são outros!".

Outras civilizações do passado, com menor grau de tecnologia, mas com bem mais sabedoria para lidar com o aspecto humano, ao conhecerem a importância vital dos mitos e dos símbolos, sabiam que essas rotas de fuga deviam ser vedadas. No tempo em que vivemos, por exemplo, a Justiça e outros valores deveriam se vestir como nosso vizinho de porta, como nós próprios, para mostrar que, em nosso período histórico, as mesmas essências permanecem válidas e necessárias. Não posso deixar de lembrar a frase que se diz ter saído da boca de uma sacerdotisa vestal,[17] ao presenciar duros sintomas da decadência de Roma: "Ai de nós, que conquistamos o mundo e perdemos a nós mesmos...". Incansável é a história que, tantas vezes, é forçada a girar sobre os mesmos pontos.

Enfim, povos como os egípcios, os gregos e os romanos entenderam a importância dos símbolos, e os greco-romanos fizeram a representação de Hermes Trismegisto de acordo com

---

[17] Vestais eram sacerdotisas da Roma Antiga que se dedicavam ao culto da deusa latina Vesta.

sua mentalidade. Por serem mais racionais que os egípcios, precisavam de algo mais palpável, uma vez que não entenderiam um Thot. Por essa razão, adaptaram e recriaram Thot através da mentalidade órfica grega,[18] bastante ligada ao estético, à forma perfeita, isto é, na bela imagem de Hermes e depois de Mercúrio, em Roma.

Em Roma, portanto, Hermes vira Mercúrio, o deus que porta, como o Hermes grego, um bastão ou caduceu na mão, símbolo que representa o próprio homem, com os três Mundos que o constituem: *nous*, psiquê e soma. Esses três mundos, físico, psíquico e espiritual, quando alinhados, tornam-se uma ferramenta na mão de um deus, na mão do nosso próprio deus interior. Então, Hermes ou Mercúrio parecem ser resultado de uma recriação, dentro do espírito greco-romano, do deus egípcio Thot.

Como sabemos, a Idade Média trouxe uma mudança de mentalidade bastante significativa. Até Carlos Magno, um dos maiores monarcas da época – pois existiram poucos reis significativos no período medieval – era analfabeto, não sabia escrever o próprio nome. Os escribas e os conselheiros desses reis eram os que escreviam seus títulos, pois os soberanos, no mais das vezes, só sabiam rabiscar uma precária assinatura. Não é difícil deduzir (com raras exceções, verificadas geralmente no

---

[18] Orfismo: crença religiosa do mundo grego antigo, cuja inspiração vem do poeta mítico Orfeu.

Imagem em *close-up* de um caduceu Asclepius com um par de cobras entrelaçadas em torno de uma vara. Decoração simbólica na parede de uma velha farmácia em Turim, Piemonte, Itália. As três circunferências representam, de cima para baixo, *soma* (corpo), psique (alma) e *nous* (Espírito), os três mundos que constituem o homem e que, quando alinhados segundo uma única lei, compõem uma ferramenta na mão de um Deus: nosso próprio deus interior.

seio do clero) qual era o nível de educação ao qual eram relegados os demais estratos da sociedade.

Nem mesmo os membros da nobreza tinham instrução muito sólida. Sabia-se quase nada sobre o que havia sido, de fato, o Egito, mas sabia-se que aquela civilização possuía coisas inexplicáveis, "mistérios". Diz-se que, toda vez que aparecia uma pessoa estranha rondando os feudos, falava-se: "Parece um bruxo... Deve ter vindo do Egito". Ou seja, nada sabemos sobre esse povo, mas sabemos que eles sabiam demais...

Isso ficou guardado na memória coletiva e ecoa até nossos dias: recorre-se ainda hoje ao Egito e à Índia quando a intenção é transmitir uma ideia de algo "esotérico"; cria-se aquele espaço meio exótico, que foge ao comum, cheio de adereços egípcios e com um raga[19] indiano como fundo musical, com aqueles semitons enlouquecedores aos ouvidos ocidentais. Agimos assim porque ainda não entendemos muito o Egito e a Índia, mas persevera, em nossa memória e intuição, a ideia de que aqueles povos sabiam de coisas que ainda estão vedadas a nós.

Imaginem uma civilização que projeta uma imagem de sabedoria e mistérios desse porte ao longo de milênios! No Cairo, costuma-se dizer: "O homem teme o tempo, mas o tempo teme as pirâmides". É impressionante: as pirâmides vão deixar de existir; na verdade, já estão deixando; foram muito destruídas,

---

[19] Raga é o nome dado às formas melódicas usadas na música clássica indiana.

mas sua durabilidade é espantosa. Considerem a quantidade de pedras tiradas das pirâmides da meseta de Gizé para construir a própria cidade do Cairo, e mesmo assim não se conseguiu acabar com elas! Imaginem a força da vontade de homens que deixam um rastro desse porte no tempo... Mesmo pretendendo e tentando fazê-lo ao longo dos séculos, as pessoas não conseguiram destruí-lo por completo.

Proponho um exercício de imaginação: um avião comum passa pelo céu e deixa um rastro de fumaça de brevíssima duração. Mas, quando se trata de um caça, vemos aquele rastro atravessando o céu e demorando um tempo significativo para se desfazer; então, pelo rastro, temos condição de saber que não foi qualquer pequena nave que passou por lá. E o que dizer de um homem que deixa um rastro desse tamanho e com esse grau de durabilidade? Uma civilização desse porte, por muito que se quisesse, não se conseguiu apagar seu rastro, e sua imagem ficou ecoando ao longo da história. Então, percebemos que aí se estabeleceu algo grandioso, talvez a sede das míticas "iniciações humanas" reais, tantas vezes citadas, distorcidas, temidas e desejadas em nossos tempos.

Vamos, então, tentar entender, na medida das nossas possibilidades, o que seriam esses graus de conhecimento que chamamos de iniciações, tantas vezes associados ao Egito.

Iniciação é uma palavra que vem sendo utilizada hoje, ocasionalmente, pois está na moda entre alguns grupos de cunho místico-esotérico. Não posso deixar de manifestar certo temor em relação a palavras que entram em moda dessa forma, pois elas geralmente acabam esvaziando-se a ponto de não restar mais que uma etiqueta. É sempre perigoso quando conceitos orientais como karma, nirvana e outros começam a ser usados de forma inadequada e superficial. O karma costuma ser empregado em certos usos que beiram o patético: pessoas que estão sofrendo, sendo injustiçadas e que permanecem totalmente passivas, sem esboçar reação, dizem: "Ah, é o meu karma". Isso seria suficiente para eriçar os cabelos do mais paciente dos antigos conhecedores da cultura indiana! Karma nada tem a ver com condenação ou destino escrito por quem quer que seja![20]

Outra questão mal compreendida é a relação do homem com o sagrado. Noticiou-se recentemente nos periódicos acadêmicos que mais uma vez foi encontrado, no interior da Espanha, um local onde provavelmente acamparam integrantes de um desses ancestrais hominídeos que são rastreados pelo mundo afora. Nesse ensejo, descobriram algo muito interessante: restos de objetos de pedra que, com certeza, não tinham finalidade utilitária – não eram destinados à caça, à coleta ou a algo parecido. Provavelmente eram fragmentos de um pequeno altar para a realização de cerimônias. Tratava-se de um hominídeo precursor do *Homo sapiens*, com poucos recursos materiais e

---

[20] Karma é lei de causa e efeito, segundo o pensamento indiano. No mundo dos pensamentos, dos sentimentos e das ações, tudo o que é concebido gera consequências naquele próprio plano e até mesmo nos demais planos.

cognitivos. Eram não mais que fragmentos de pedra utilizados como utensílios cotidianos, mas os hominídeos que os usavam já sabiam reconhecer e simbolizar de alguma forma, a presença do sagrado na natureza. Trata-se de uma observação magnífica.

A partir de observações similares a essa, o filósofo e mitólogo Mircea Eliade costumava dizer que o homem não se diferencia dos demais animais como *Homo sapiens*, mas, sim, como *Homo religiosus*. Pois, em relação ao atributo *sapiens*, um chimpanzé ou um gorila fazem coisas impressionantes relacionadas a sua escala de inteligência em comparação com a nossa. A moderna técnica de rastreamento genômico aponta que a diferença genética de um bonobo para um *Homo sapiens* é bastante pequena: cerca de 98,7%, segundo os mais atuais estudos a respeito. Então, se quisermos diferenciar aquilo que de mais próprio e particular possuímos, seria mais apropiado apelar, de acordo com esse ponto de vista, para a denominação *Homo religiosus*. Não vemos um chimpanzé colocando uma pedra sobre outra e reverenciando algo superior, que ele representa por essa forma, e visualizando, através daquele rude "altar", o amor, a justiça, a fraternidade, ou seja, Deus. Essa visão simbólica e metafísica é especificamente humana. Diz-se que, quando o ser humano começa a perceber que a natureza possui um nível de complexidade que não se explica meramente pela razão, ele começa a elaborar sua capacidade metafísica e simbólica de lidar com a vida; são uma nova visão e uma nova linguagem.

Aos interessados no tema "despertar da natureza humana", recomendo o livro O *Filósofo Autodidata*, escrito por um sábio andaluz do século XII conhecido como Ibn Tufail ou Abentofail. Trata-se da história de um homem que cresceu solitário e selvagem em uma ilha deserta, apenas entre os animais. Nosso protagonista passa o tempo observando a vida com toda sua complexidade e chega à conclusão: "Existe Deus! É impossível que não exista!". Começa a perceber as leis que harmonizam as coisas; começa a notar que os fatos não são casuais. Percebe que existe algo além daquilo que ele vê, algo nos bastidores da vida, algo além do físico... E passa a representar simbolicamente o que vê. Considera-se que esse é um primeiro estágio importantíssimo para o ser humano, quando ele passa a perceber o sagrado na natureza, e que Deus existe e está lá, representado de mil formas diferentes, e que ele, homem, está aqui: "E eu o reconheço e sou humilde diante dele; eu me prostro diante dele".

Em determinado momento, o homem, continuando no processo de desvendar a natureza e a si mesmo como ser humano, avança nessa direção e se dá conta de que o sagrado não está lá e ele aqui, mas que ele está lá e aqui, pois percebe que existem atributos divinos nele próprio. Pode-se ver essa justiça na natureza e dentro de nós, na natureza humana. De vez em quando, um *flash* da justiça se manifesta, e ele percebe essa sabedoria fora, mas também a vê vibrando dentro dele. Às vezes, fica surpreso ao se dar conta da beleza das ideias que ele mesmo é capaz de ter, da beleza dos atos de amor, dos atos de fraternidade. Segue seu caminho e tem a seguinte percepção: "Bem, se eu conhecer profundamente a mim mesmo, poderei entender um pouco de Deus". "Homem, conhece-te a ti mesmo e conhecerás o Universo e os deuses", afirmava a máxima do Templo de Delfos, na Grécia.

Esse é um estágio filosófico em que a visão do sagrado nos dois mundos apoia-se no autoconhecimento, e o homem é visto como um microcosmos, como diria Platão. Essa busca do autoconhecimento e da realização do humanismo, própria da Filosofia, ainda não é o estágio definitivo. Os egípcios acreditavam que alguns homens especiais (raros na história da humanidade) poderiam ir além desse estágio, penetrando no que chamavam de "iniciações". Nem o "Deus lá, e eu aqui", do homem simples, nem "Deus lá e aqui, dentro de mim..." dos Filósofos. Chegaria um momento em que o noviço, ou neófito,[21] perceberia que não existe lá e aqui: nós e Deus somos um só. Essa constatação real e concreta tem um peso psicológico que só um mestre de sabedoria seria capaz de suportar. Por isso, ela só surge na hora certa, quando a merecemos. Trata-se do chamado processo iniciático: a consciência da individualidade encontra seu lugar no Todo. O iniciado pode estar no mundo, mas se percebe como uma célula da divindade, como um dígito de Deus, e supera aquilo que, em tradições ligadas ao Tibete, se chama de "heresia da separatividade".

---

[21] Neófito era o nome dado ao recém-ingressado nos processos de iniciação.

Gosto muito de um conceito indiano denominado *Sutratma*, que expressa a ideia de que todos os seres da manifestação são como pérolas de um colar, e que o fio de prata que passa por dentro das pérolas desse colar é o Divino. Depois de abandonarem a superficialidade, os seres buscam sua essência, mas, despreparados para reconhecer qualquer substância que não seja a pérola, ao se virarem para o centro, percebem um vazio, o que lhes causa grande angústia. Um dia, de tanto buscar, depuram a vista e percebem o pedacinho de prata que há em si, e isso muito os alegra, proporcionando a sensação de completude. Mas essa constatação ainda está longe de ser o final da história: em algum momento, despertarão para o fato de que esse pedacinho de prata tão estimado é apenas um breve momento de uma corrente de prata que passa por dentro de todos os seres manifestados. Ou seja, em essência, somos Um.

Como reflexão, isso é poético; como vivência, essa ideia é um turbilhão demolidor de fronteiras. Dizem que, ao perceberem isso, os seres humanos superam, de todo, a separatividade. Eram as chamadas "iniciações" que se diz serem praticadas no Antigo Egito: algo raro e difícil. Quando o homem tem a certeza de que é uma célula de um Ser muito maior, ocorre uma tremenda revolução de consciência, muito além do que um homem comum pode ver e é capaz de suportar. Viver e evoluir nada mais seria que "se preparar para ver" o que, inexoravelmente, deve ser visto e assimilado em algum ponto do caminho.

Havia mosteiros onde se praticavam os sistemas iniciáticos, que ajudavam a acelerar a evolução humana mediante o compromisso de fazê-lo pelo outro, pelo Todo, sem a menor sombra de interesse pessoal; a única razão para a evolução deveria ser a fraternidade, a vontade intensa de servir ao Todo. Acredita-se que alguns homens que alcançavam esse grau chegavam, de fato, à sabedoria plena. Eram os chamados "mestres iniciados". E Hermes Trismegistos teria sido um deles.

Algumas máximas atribuídas ao Hermetismo:

- "Dar leite às crianças e carne aos homens feitos", ou seja, não deixar que o conhecimento caia em mãos inadequadas.
- "Em qualquer lugar em que estejam os vestígios dos mestres, os ouvidos dos discípulos preparados se abrirão de par em par."

Nessas máximas, percebemos a preocupação em manter vivo e transmitir com responsabilidade o conhecimento, como joia devastadora, tanto para o bem quanto para o mal.

Havia grande preocupação, por parte desses mestres, com o fato de que o conhecimento não se transformasse em credo, matando a sede de investigação e fanatizando seus seguidores.

A Grécia herdou também as iniciações. Elêusis e Cumas, por exemplo, foram centros iniciáticos; Samotrácia, onde se realizavam os Mistérios dos Cabiros, também o foi. É possível que Felipe, pai de Alexandre Magno, e Olímpia, sua mãe, tenham se conhecido dentro de Samotrácia. Esses centros existiram em vários lugares, e a Índia também os conhecia muito bem. Eles perduraram na história até certo momento, pois chegou uma hora em que não havia mais condições históricas para sua continuidade.

Para quem conhece Christian Jacq, romancista histórico e egiptólogo francês com diversas obras publicadas sobre o Egito, tanto obras de ficção quanto de não ficção, talvez saiba que um de seus livros[22] aborda Philae, o último dos templos iniciáticos egípcios, pois essas escolas foram fechadas quando já não havia mais como o Egito resistir a tantos invasores e a tanta decadência histórica. Enfim, houve um tempo em que essas escolas eram conhecidas publicamente.

Na Grécia, todo mundo sabia onde ficava Elêusis. No Egito, todo mundo sabia onde ficava Abydos. Porém, quando o nível de materialismo se acentua, o conhecimento tem que ser preservado para que a ambição humana não seja capaz de manuseá-lo e corrompê-lo. Ademais, o conhecimento, quando é colocado nas mãos de um homem de caráter débil, pode causar danos a ele próprio e aos que o circundam. Então, em épocas como esta, reserva-se e preserva-se o verdadeiro conhecimento. Protege-se o homem de si mesmo. Não é demais, penso, observar que nossos últimos séculos têm sido pródigos em

---

[22] *Filae:* o último templo pagão. Rio de Janeiro: Bertrand Brasil, 2008.

mostrar as consequências do conhecimento quando colocado em mãos inadequadas.

É interessante observar que, no Egito, não havia uma palavra particular – podem procurar que não vão encontrá-la – para se referir à religião. A razão é tanto curiosa quanto peculiar: não havia um setor da vida do egípcio reservado à religião. Tudo era sagrado. Pode-se ver isso na cultura, nos hábitos do dia a dia, na agricultura; tudo era uma via para se religar ao divino – *religio*, *religare*, de se aproximar dessa Unidade, desse Ser Absoluto. Então, não havia nenhuma fronteira entre o banal e o sagrado. O banal simplesmente não existia; o sagrado era onipresente. A banalização da vida era uma ficção, uma fantasia.

Tebas era uma cidade muito curiosa, com duas "metades": de um lado, a cidade dos vivos, e, do outro lado, a cidade dos mortos, onde havia as tumbas dos grandes reis, dos grandes personagens da história. Era, assim, uma honra nascer, viver e morrer em Tebas. Quando alguém cometia determinado delito, pior que ser condenado à morte era ser expulso da cidade, porque morrer em Tebas garantia a chance de que sua vida se tornaria sacralizada, dotada de sentido: "Felizes os que nascem em Tebas; felizes os que lá morrem".

Esse é um ponto da mentalidade egípcia muito difícil para o nosso entendimento. Se para os gregos já era difícil entender o Egito, o que dizer de nós? Pitágoras de Samos, que, segundo narra sua escassa biografia, também teve passagem pelo Egito, precisou fazer uma adaptação dolorosa e delicada do seu pensamento para viver a mentalidade da Magna Grécia, em Crotona. Os gregos não contavam com os recursos necessários para entender sua maneira de pensar e de viver. O que podemos dizer de nós, humanos do século XXI? Logo, vamos levar muito tempo para conhecer e processar devidamente o mundo representado pelo Egito.

# Capítulo II

## O *Caibalion* e suas Chaves

Como já citei anteriormente, *O Caibalion* é um apanhado de máximas extraídas tanto do *Corpus Hermeticum* (reiterando: *corpus* significa um conjunto de textos, nesse caso referindo-se a textos herméticos) quanto da "Tábua de Esmeralda". Embora as leis tenham sido traduzidas para uma linguagem mais acessível ao nosso entendimento, ressalto que essas leis são um extrato do que encontramos na tradição hermética original. Os comentários, muito bem elaborados, são do início do século XX. A distinção entre as partes do texto que são reproduções do original e os comentários do autor contemporâneo encontram-se bem demarcadas com recursos gráficos, com destaques em itálico.

Podemos considerar que *O Caibalion* foi publicado de forma anônima, porque sua autoria foi creditada a "três iniciados", sem menção ao nome deles. Porém, investigações mais recentes, inclusive com a descoberta de manuscritos originais do livro, apontam para o controverso escritor e mentalista norte-americano Willian Walker Atkinson. É possível que ele tenha sido auxiliado por outras pessoas, o que explicaria a concepção atribuída a três autores. Vale ressaltar que a teósofa inglesa Mabel Collins, autora de *A Luz no Caminho*, obra-prima do gênero, não hesitava em declarar publicamente ser ela a autora de *O Caibalion*. Enfim, trata-se de um tema envolto em controvérsias, que exigiria investigação futura mais pormenorizada.

Alguns pesquisadores atribuem a palavra *caibalion* à mesma origem da palavra "cabala", que significaria "tradição" ou "transmissão", ambas as possibilidades bastante pertinentes, dado o caráter da obra. Já vimos que *O Caibalion* transmite ao leitor contemporâneo um pouco do que era essa sabedoria hermética, conhecimento sempre reservado aos que possuíam sustentação moral e intelectual para portá-lo e sempre transmitido "de boca a ouvido", uma vez que "os lábios da sabedoria só se abrem aos ouvidos do entendimento". São princípios aplicados ao homem e ao Universo através de diversas chaves, conforme explica Helena Petrovna Blavatsky, a grande pensadora do

William Walker Atkinson (1862-1932). Advogado, comerciante, editor, escritor, ocultista e propagador da filosofia do Novo Pensamento, Atkinson também publicou várias obras com pseudônimos como: Magus Incognito, Theron Q. Dumont e Yogue Ramacharaca. É considerado o provável autor de *O Caibalion*, publicado sob a alcunha de Os Três Iniciados pela Yogi Publication Society, em 1908. A pequena editora era de sua propriedade.

século XIX. Blavatsky aborda o tema em várias passagens de sua obra *A Doutrina Secreta*, cuja versão em língua portuguesa chega ao nosso tempo dividida em seis volumes. Ela afirmava que qualquer texto de nível simbólico/sagrado possui sete chaves de interpretação, às vezes desdobradas em dez. Eis as chaves para abrir a porta para a compreensão de um texto de elevado nível simbólico, segundo Blavatsky:

a) Psicológica
b) Astronômica
c) Física e fisiológica
d) Metafísica
e) Antropológica
f) Astrológica
g) Geométrica
h) Mística
i) Simbólica
j) Numérica

Em geral, sintetiza-se a chave geométrica com a numérica, a astrológica com a astronômica e a mística com a metafísica, com o que obtemos o número 7.

Vamos utilizar algo mais próximo de nós: os 12 trabalhos de Hércules. Você sabia que há ali uma chave psicológica de autoconhecimento sensacional? Mas os 12 trabalhos também falam da trajetória do Sol passando pelas 12 constelações do zodíaco. Esse mito possui, assim, de forma mais evidente, uma chave astronômica e astrológica e outra chave de natureza psicológica. Normalmente, reduzimos nossas interpretações ao psicológico, pois se trata da chave que se nos oferece de forma mais acessível.

## Capítulo III

### O Todo: A Natureza de Deus e a Criação do Universo

Um dos elementos importantes que precisam ser compreendidos, uma vez que é reiteradamente afirmado em *O Caibalion*, é a identidade da figura de Deus com "O Todo", como um nome que O contém mais apropriadamente que qualquer outro:

"AQUELE que é a Verdade Fundamental e a Realidade Substancial está fora de uma verdadeira denominação, mas o sábio chama-o 'O TODO'. Na sua Essência, O TODO É INCOGNOSCÍVEL. Mas os testemunhos da Razão devem ser hospitaleiramente recebidos e tratados com respeito".

O livro dá a esse Todo-Deus alguns atributos, que o mostram como muito maior que a soma de Espírito, Matéria, Energia e o que mais houver, mas como o "programador que opera com todas essas substâncias e outras que haja" e em cuja mente se desenvolve este ilusório e passageiro espetáculo da manifestação. Ou seja, o Todo é:

- Infinito no Espaço (sem lacunas).
- Infinito em Poder (não há outro Poder que O submeta).
- Imutável (não pode deixar de ser o que sempre foi).
- Infinito, Absoluto, Eterno e Imutável. Logo, todo o finito, passageiro, condicional e mutável, não é real.

Essa perspectiva de realidade, que só pode ser compreendida ao aprendermos a pensar por alguns minutos de forma ousada, pensar como "Todo", e não como minúsculos fragmentos, faz com que a perda e a dor sejam vistas como ilusórias. O vislumbre dessa perspectiva, através das leis a serem compreendidas, dão a serenidade e a segurança de que, nos braços do Todo, qualquer circunstância pode ser entendida e integrada, e a busca da realidade substancial por trás das ilusões encontra seu termo.

Outra ideia fundamental em *O Caibalion* é a forma como o Todo criou o Universo. Qualquer forma convencional de criação geraria um ser fora d'Ele, e isso não pode ocorrer. Sendo Ele o Todo, nada pode existir além de si mesmo. Então, ele cria a manifestação em sua mente, como uma ideia. Mas, apesar de ser uma criação mental, o Universo é submetido a um rigoroso esquema de Leis, que devem ser obedecidas.

> "A Mente Infinita d'O Todo é a matriz dos Universos..."

Como matriz, é dentro da Mente do Todo que a vida efetua a primeira divisão na dualidade primordial Matéria/Espírito. Vem daí a sensação de acolhimento que sentimos quando reverbera em nós o amor à natureza como imagem do Todo:

> "Ao admirarmos a natureza, sentimos instintiva reverência pelo Todo (*Religare*). É a Mente-mãe que nos estreita nos braços".

Assim, dentro das leis da natureza, não haveria morte real, mas, sim, uma sucessão de estados e de degraus evolutivos que vai se abrindo diante de nossa consciência até que ela alcance novamente os braços do Pai/Todo. Mas nenhum dos filhos se perderia ou seria deixado para trás nesta longa caminhada:

> "Dentro da Mente Pai-Mãe,
> o filho mortal está na sua morada".
> "Não há nenhum órfão de Pai ou de Mãe no Universo."

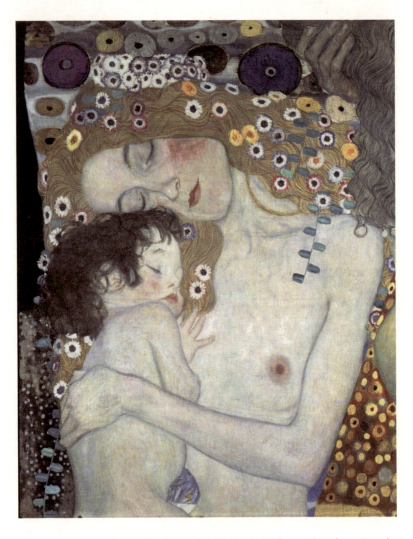

Mãe com seu filho. Detalhe da obra *As Três Idades da Mulher* (1905), óleo sobre tela, 180 cm x 180 cm, de Gustav Klimt (1862-1918), pintor simbolista de origem austríaca. Galleria Nazionale d'Arte Moderna e Contemporanea, Roma, Itália.

Trata-se de uma visão psicologicamente muito consoladora, mas também bastante lógica do ponto de vista racional, pois, uma vez admitida a existência do Todo, não é possível conceber que nenhuma célula dele se perca sem que seu caráter de Absoluto seja afetado. Em uma visão sistêmica, o sofrimento de cada parte ecoa pelo Todo e é tomado como um problema d'Ele.

Assim, poderíamos chegar dentro desse raciocínio a uma conclusão algo poética, mas bastante lógica: os problemas do homem afetam a Deus.

## Capítulo IV

### O Universo Mental e os Planos da Manifestação

Outro aspecto importante: a manifestação está impregnada do Criador, mas não o esgota (Ele é bem mais que isso!). O exemplo utilizado no livro é bem inteligente: é usado o exemplo de Otelo para mostrar que todos os personagens de Shakespeare estão impregnados dos atributos de Shakespeare, mas não o esgotam. Há bem mais na mente de Shakespeare que apenas Otelo.

A vida seria como uma escada de espiritualização das nossas vibrações, até chegarmos ao Todo. Involuímos até a matéria mais

Imagem de representação dos degraus evolutivos que nos elevam do mundo da matéria densa ao caminho da consciência espiritual.

densa, na manifestação do Universo; agora é momento de subir a escada, de evoluir, ou seja, de desapegar-se cada vez mais da matéria e impregnar-se cada vez mais de Espírito.

De acordo com *O Caibalion* e, justiça seja feita, também segundo tradições hinduístas, esses três planos em que habitamos, os planos Físico, Mental e Espiritual, possuem sete subdivisões. Por exemplo, o plano da matéria/energia vai desde o degrau mais denso, onde residem os corpos materiais, até os mais sutis, energias que estamos longe de sermos capazes de captar. O plano mental vai desde a chamada "mente mineral", espécie de percepção muito rudimentar de consciência de sua existência e que é própria do reino mineral, até a mente humana. No plano espiritual, haveria desde mestres e sábios até seres divinos, no sétimo grau.

Além disso, destaca-se que todos os seres evoluem e tornam-se mais perceptivos no nível em que se encontram. No caso da "mente mineral", por exemplo, minerais muito evoluídos (talvez equivalentes aos que chamamos de molecularmente muito bem organizados) teriam alguma capacidade de perceber até mesmo um ambiente com energias muito densas e de reagir a ele com algum tipo de mutação discreta na cor, no grau de calor e até mesmo na vibração. Assim também ocorre com plantas, animais e seres humanos.

Daí a origem das fábulas, tão recorrentes em diversas tradições, nas quais os sábios possuem um anel com uma pedra que muda de cor. É lógico que associamos esse tipo de coisa a filmes antigos de terror, meio sombrios, destinados a assustar o público. Mas quem sabe de onde essas imagens e crendices tiraram suas inspirações? Talvez o tão conhecido fenômeno popularmente chamado de "telefone sem fio" seja mais que uma brincadeira infantil, e mesmo a cultura vulgarizada e as crendices populares representem um eco distante e corrompido de alguma voz que, em algum passado longínquo, tinha algo importante a nos dizer...

Certa feita, travei contato com um certo livro,[23] já se vão alguns não poucos anos, que contava a história do jornalista norte-americano Tom Shroder, o qual se ocupava em desmoralizar pessoas que escreviam sobre histórias fantásticas relacionadas à espiritualidade e que alcançavam algum sucesso e evidência. O jornalista se aproximava dessas pessoas e, após suas investigações, denunciava as manipulações que havia observado. Com isso, conseguiu destruir a credibilidade de pessoas famosas, numa espécie de guilhotina midiática. Um dia, Shroder resolveu voltar suas armas contra um famoso psiquiatra norte-americano, dr. Ian Stevenson, que havia décadas se dedicava a investigar relatos de crianças que, ainda em tenra idade, apresentavam algum tipo de recordação de vidas passadas, em qualquer lugar do mundo.

Nessa época, o já septuagenário dr. Stevenson preparava-se para sua última viagem de investigação e, ao saber do interesse do jornalista, convidou-o para a jornada. Depois de alguns meses intensos que passaram juntos (cujos detalhes não vou relatar para não ser condenada como mais uma criadora de *spoilers*), Tom Shroder retorna aos Estados Unidos e conversa

---

[23] SHRODER, Tom. *Almas Antigas:* a busca de evidências científicas. Rio de Janeiro: Sextante, 2001.

com um amigo bastante cético acerca de tudo o que viu e viveu. Após cada uma das situações narradas, seu amigo tentava oferecer alguma possibilidade materialista de explicação, por mais bizarra e improvável que pudesse ser a teoria, como forma de convencê-lo que seria possível interpretar tudo aquilo por outro ângulo.

Enfim, o amigo dispara a pergunta fatal: "Você acredita ou não em tudo isso?". Nesse momento, Tom Shroder, o jornalista cético por definição, conta uma breve história de sua juventude: um momento de dúvida sobre qual direção tomaria na vida. Ele tinha diante de si duas possibilidades de profissão a serem abraçadas e duas mulheres que o amavam, cada uma delas se encaixando perfeitamente em um dos dois estilos de vida que se apresentavam. Além disso, cada uma delas estava estreitamente associada a uma canção, quase um tema musical que caracterizava aquele caminho que a mulher representava.

Atordoado e sem clareza sobre o melhor a fazer, Tom resolveu partir para uma viagem de carro, sozinho e sem destino, para se permitir parar e refletir antes de tomar uma decisão. Passando por uma região semidesértica, encontrou uma espécie de *camping* para barracas e *trailers* sem nenhum cliente além dele e resolveu parar ali para passar a noite. Depois de algum tempo, já com a noite avançada, chegou ao local um *motorhome*, espécie de *trailer* conjugado com um veículo motorizado. O sistema de som do veículo estava tocando uma das duas músicas que representava um dos caminhos que Tom possuía diante de si; tratava-se de uma música relativamente antiga, que não estava em moda naqueles tempos. O carro parou e a música foi interrompida quando o motor foi desligado. As luzes se apagaram e, na manhã seguinte, quando o motor foi novamente ligado para partir, a música foi retomada do ponto onde parara na véspera. O veículo se foi, sem que ele nem sequer chegasse a ver o rosto do condutor.

Após contar a história, Tom responde ao amigo que a possibilidade de uma coisa dessas acontecer ao acaso, considerando tantas improbabilidades, era tão absurdamente desprezível que sua mente não lhe permitia acreditar que se tratasse apenas de coincidência. E, graças a essa experiência, que provara a ele quanto a vida é dotada de ordem e inteligência, ele podia agora acreditar em tudo que o dr. Ian Stevenson, com tanta seriedade e profissionalismo, havia lhe mostrado... Você viveu algo parecido com isso em algum momento da vida? Ou testemunhou alguém viver? Em caso positivo, talvez a fresta que nos permite ousar vislumbrar compreensões que vão um pouco mais fundo que as meras aparências tenha sido aberta... Talvez seja este o momento certo para ler *O Caibalion*. Nada como uma vivência para abrir fendas em um ceticismo inflexível e cego, alimentado por toda uma vida.

Retornando ao tema, depois dessa digressão mais ou menos longa, é importante, para a leitura de *O Caibalion*, saber que os planos físico, mental e espiritual, segundo a tradição abordada, são concatenados e ascendentes, e que podemos atravessar de um plano a outro por meio da elevação do nosso nível vibratório[24] em relação a metas mais humanas e dignas. Os sete princípios herméticos operam em todos esses três planos e nos sete degraus de cada um deles.

---

[24] Elevar o nível vibratório significa ter interesses, desenvolver afinidade e firmar compromissos com aquilo que nos eleva a consciência ao nível mais íntegro, ético e humano possível. Como diria o filósofo Nilakanta Sri Ram: "A evolução nada mais é do que a depuração do gosto".

## Capítulo V

### Onipresença e Consciência: Mitos e Histórias

Ísis, Osíris e Hórus: acho conveniente, neste ponto, esboçar rapidamente essa história sagrada do Egito, de forma bem resumida, a fim de consolidar alguns pontos que devem ser percebidos como premissas. Para quem se interessa em conhecer o mito de maneira mais completa, recomendo o clássico *Ísis e Osíris*, de Plutarco. O grande Deus Osíris, que reinava nas terras férteis do Egito, era invejado por seu irmão, Seth, soberano das terras estéreis. Depois de muitas aventuras e trapaças, Seth consegue cortar o corpo do irmão em vários pedaços e espalhá-los pelo Rio Nilo. A esposa de Osíris, a deusa Ísis, ajudada pela irmã Neftys e pelo deus Anúbis, consegue encontrar os pedaços e insuflar novamente vida ao corpo do esposo, por alguns momentos. Não vou me alongar nos inúmeros detalhes da história nem farei os comentários pertinentes, pois este não é o local adequado para fazê-lo. Mas vejam que esse despedaçar do corpo de Osíris e o fato de ser preciso procurá-lo por todas as partes do Nilo lembram muito a célebre ideia de que é preciso "ver Deus em todas as coisas".

Nenhum cantinho do Nilo pode ser esquecido; não há pedra ou planta do rio que possa ser desprezada; há, em tudo, algo de Deus, uma célula, uma "mônada", uma essência, ou como preferirem nomear. Se o Todo é realidade e a manifestação é sombra, há de haver, por trás de cada sombra, algo de realidade a ser descoberto. Não existem sombras sem corpos que as projetem. Daí a antiga, tão disseminada e tão pouco compreendida doutrina do Pan + Theos – o Panteísmo –, ou seja, sobre Deus estar presente em todas as coisas. O épico indiano *Ramayana* também fala exatamente o mesmo, apenas usando símbolos diferenciados; vestimentas distintas, para o mesmo conteúdo.

Penso que este é um bom momento para, antes de prosseguirmos para as leis, apresentar um breve esboço que nos permita vislumbrar um pouco do que vem a ser aquela que poderíamos chamar de protagonista da nossa história: a consciência.

Apenas retomando alguns pontos da história: o Todo ou o Uno, dentro de sua mente, gerou a dualidade primordial Espírito/Matéria. Qual a razão disso? Uma das hipóteses de resposta para essa impossível e até impronunciável pergunta é que o Universo se manifesta na busca, por parte do Todo, de ampliar a consciência de Si Mesmo e, para tanto, necessita da dualidade, pois a consciência sempre se dá por contraste: entre duas cores, entre o som e o silêncio, entre o que temos e o que perdemos... Assim nasce a consciência. Portanto, segundo essa doutrina antiga e ousada, a manifestação seria o Todo mirando-se no espelho da substância primordial.

E, como determinará o Princípio da Correspondência, o que ocorre com o Todo deve ocorrer de forma similar com as partes, adaptado ao nível de consciência de cada um. Então, o Todo em nós, nossa Essência Divina, necessita ver-se nos planos da Matéria, da Mente e do Espírito. Como esse Ser, que é nossa Essência, é imóvel e eterno, fora do tempo e do espaço, como seu Pai, ele envia seu Olho para esses planos mais baixos, para que viva uma experiência em cada plano e mande o extrato daquilo que foi aprendido para o conhecimento d'Ele. O nome desse "Olho do Ser" é Consciência.

E aqui entra nosso amigo Jacques Cousteau, famoso por suas pesquisas baseadas em prospecção submarina realizadas ao longo do século XX com o lendário barco Calypso. Todos sabemos as incríveis profundidades registradas em alguns pontos do oceano[25] e como a pressão exercida pela água em grandes

---

[25] O abismo de Challenger, na Fossa das Marianas, no Pacífico, é considerado o ponto mais profundo do nosso planeta, com 10.994 metros de profundidade.

profundidades torna bastante arriscada a prospecção submarina com mergulhadores nesses locais. Nesse ponto, a tecnologia veio em socorro de nosso amigo e permitiu que ele enviasse câmeras a partir do barco Calypso que colhiam imagens fantásticas e as enviavam para telas instaladas no barco. As câmeras eram os "olhos" de Cousteau; alcançavam profundidades inacessíveis a humanos e enviavam imagens em cada patamar de subida, nos quais se detinham para colher informações, até que retornavam ao barco, na superfície. Graças à sua trajetória, as câmeras reencontravam na superfície um Cousteau muito mais consciente das entranhas das águas sobre as quais deslizava, e a viagem podia continuar.

Se considerarmos o antigo simbolismo que associa a água, pela eterna horizontalidade, com o mundo material, e o fogo, com sua eterna verticalidade e luminosidade, com o Espírito, a história fica ainda mais interessante. Lembrando a passagem bíblica: "[...] e o Espírito de Deus pairava sobre as águas...", teremos em mãos mais uma chave de associação simbólica.

Em suma, imagine associar Cousteau à nossa essência, que permanece deslizando acima das águas/do mundo material, enquanto seu olho/ sua consciência mergulha o mais fundo possível nesse mundo denso e vai enviando informações/reminiscências ao Senhor do Barco. Subindo por níveis, a câmera/consciência acabaria por aflorar de novo e reunir-se ao seu "capitão", com os braços/a memória repletos de tudo o que foi recolhido pelo caminho em sua longa e arriscada viagem. Trata-se de um exemplo

Imagem de representação dos Planos/Níveis de Consciência do Universo Manifestado com base nos níveis do mar e sua profundidade.

prosaico, mas eficaz como imagem, para nos mostrar uma perspectiva de um dos temas mais discutidos ao longo da história: a evolução da consciência e a conquista do Ser. Não se trata de criar algo novo, mas apenas de abrir os olhos para aquilo que sempre foi.

Uma vez concluídas essas considerações prévias, passaremos agora ao exame das leis herméticas.

# PARTE II

# AS LEIS

# Capítulo VI

## O Princípio do Mentalismo

"Os Princípios da Verdade são sete; aquele que os conhece perfeitamente possui a chave mágica com a qual todas as portas do Templo podem ser abertas completamente."

### I – Princípio do Mentalismo
**"O Todo é mente; o Universo é mental."**

Tão bela quanto enigmática, essa frase de *O Caibalion* introduz-nos no estudo das sete leis que, segundo a obra, são capazes de desvendar todos os segredos da manifestação, como veremos a seguir.

Para quem conhece a famosa Teoria das Ideias, de Platão, percebe aqui a fonte de seu conhecimento, pois ele também recebeu grande parte de sua erudição do Egito.

Para explicar a célebre teoria de maneira simples e rápida, vou lançar mão de uma constatação óbvia: ninguém faz uma cadeira, como aquelas nas quais nos sentamos diariamente, sem primeiro planejá-la, pensá-la. Imagine um marceneiro que tropeçasse em pedaços de madeira e estes, graças ao golpe recebido, saíssem se movimentando caoticamente, transformando-se em cadeira. Isso é de uma improbabilidade que beira à loucura. Helena Blavatsky dizia que seria como lançarmos madeira, cordas e marfim para o alto e elas caírem na forma de um piano tocando uma fuga[26] de Bach. Há a presunção óbvia de que todas as coisas que aqui existem tiveram uma preexistência em um grande "plano das ideias", onde foram detalhadamente elaboradas antes de mergulharem na natureza em busca de substância.

A título de curiosidade, existe mais um exemplo dado por Amit Goswami, físico e escritor contemporâneo, que escreveu um livro no qual comenta a teoria do universo holográfico. Na obra *A Física da Alma*, Goswami discorre exatamente sobre essa impossibilidade de as coisas nascerem caoticamente no mundo sem terem vindo de um plano mental, do plano das ideias do Universo, e oferece um exemplo que me parece muito curioso e

---

[26] Fuga é um recurso musical no qual várias vozes melódicas se sucedem sobre o tema principal, entrelaçando-se com ele.

imaginativo. Ele diz para imaginarmos que um computador nosso, por acidente, caísse de nossos braços e rolasse por uma escada, batendo em cada um dos degraus. Imaginemos ainda que se tratava de um modelo antigo, mas, devido a esse acidente casual, ele se rearranjou lá dentro de maneira tal que, ao chegar ao fim dos degraus, havia se transformado em um Macintosh de última geração. É lógico que, de imediato, se formaria uma longa fila para arremessar computadores antigos nessa escada. Ironias à parte, sabemos que isso é absurdo e irreal.

Porém, mesmo sabendo que o Universo é infinitamente mais complexo que um Macintosh e que sofre variações para estágios cada vez mais incompreensíveis, acreditamos que isso seja fruto do acaso, sem que esse nos pareça algo absurdo ou irreal. Capra conclui seu raciocínio com um veredito muito interessante: "O nosso século vai passar para a história como um dos mais dogmatizados por conta de sua crença no acaso". Se as coisas evoluem de forma ordenada para estados cada vez mais complexos, evidentemente isso tem que ser pensado em algum plano. A evolução seria uma realização no plano concreto daquilo que já estava no plano das ideias, na mente do Uno, naquilo que os indianos chamam de Mahat.

A própria palavra "evolução", etimologicamente falando, vem do latim *ex* + *volvere*, que significa, literalmente, "dar voltas para fora". O termo tem provável inspiração na prática do Egito de desenrolar os papiros para ter acesso ao conhecimento guardado nele. Trabalhando com um matiz simbólico, então, poderíamos imaginar que evolução, em um plano superior, consiste em "desenrolar o papiro" da mente divina para ver, passo a passo, o que foi pensado para cada ser do Universo e procurar realizá-lo. Quanto mais evoluímos, mais desenrolamos o papiro da condição humana para ver o que está escrito lá e o que foi previsto para nós no que se refere ao que devemos construir e agregar ao mundo.

Logo, tudo teria origem nesse "plano das ideias" e seria projetado na manifestação. Evoluir seria correr atrás do arquétipo, do modelo que corresponde a cada ser e que vive na mente cósmica desde o "Início dos Tempos". O modelo da condição humana existiria ainda que não houvesse um único homem no mundo; a ideia do homem aguardaria por sua sombra na manifestação. E essa ideia se realiza à medida que o homem vai polindo arestas e correspondendo a ela, até construir uma ponte entre o céu e a terra, de tal forma que quem ainda não é capaz de vislumbrar diretamente o plano dos arquétipos pode ver a ideia humana bem representada por esse ser humano que está se esforçando para se adequar a ela cada dia mais, e seu exemplo é transformador.

Esta é a ideia do pontífice, do sacerdote: cabeça nos céus, pés na terra. Ele capta essas ideias e começa a realizá-las em si mesmo e, assim, inicia o processo de evolução. E, se evolui, tudo à sua volta evolui também, porque suas obras correspondem ao seu porte, à sua estatura, ao seu tamanho e à sua qualidade como ser humano. Parece utopia, mas é uma meta, um ideal. Os grandes homens da história foram exatamente aqueles capazes de vislumbrar grandes metas e se comprometer com elas, por eles e pelos que os seguiam.

Se o ser humano não evolui, nada evoluirá; pelo contrário, nossa imaginação se perderá na criação de uma enxurrada de "utilitários" que não atendem a nenhuma utilidade real. Vamos ter mais *know-how* (o "saber como"), mas não vamos saber o "porquê" ou o "para onde" de nada, nem de nós mesmos.

Então, essa é a ideia do Princípio do Mentalismo, de que o próprio Universo seria uma criação na mente do Todo.

A Astronomia, em nossos dias, busca respostas para um duo de possibilidades: o Universo está em processo de expansão; em determinado momento, ele vai parar de expandir-se e começará a trilhar o caminho de volta, de condensação, ou a expansão continuará indefinidamente? Tudo estava naquele horizonte, naquela singularidade inicial... Aí veio o Big Bang, e o Universo foi inflando em certo prazo de tempo; expandiu-se e continua expandindo-se: até quando? Agora vejamos o que Pitágoras dizia sobre isso.

O filósofo Pitágoras de Samos, para quem não o sabe, é lembrado, por exemplo, até na Índia como Yavânachârya (*yavan acharya*, aquele que segue o que ensina) e provavelmente também fez suas andanças iniciais pelo Egito. Com essas credenciais (além do teorema que leva seu nome e suas percepções na criação da notação musical), o grande Pitágoras ganhava credibilidade para que se pudessem ouvir as teorias que ele propunha, mas que ainda não haviam sido comprovadas. Ele costumava ensinar em sua escola de Crotona, de acordo com a doxografia,[27] que, no início da Manifestação, tudo sai do "Zero" e vai para o "Um", desenvolve-se segundo a sequência numérica, passando pela dualidade, pela trindade etc., e, ao final, tudo volta para o "um" e desemboca novamente no "zero", que é o número dez. Ou seja, as coisas se expandem e depois se contraem. É o pulsar do coração do Cosmos. E isso é interessante porque essa mesma ideia pode ser encontrada nas entrelinhas da tradição indiana. Parece que o que mais se assemelha ao Universo em nós é o nosso coração, com sístoles e diástoles, expansões e contrações. E o Universo também seria assim.

Parece-me uma hipótese curiosa. Então, talvez o Universo teria sua proposta pronta, seu projeto no "plano das ideias", na mente divina, desde antes do manifestar de uma única molécula, de um único átomo. Se pudéssemos ter alguma percepção deste Plano, todos os campos investigativos da humanidade, incluindo a Astronomia, ganhariam muito.

"A compreensão desse princípio habilita o indivíduo a abarcar prontamente as leis do Universo Mental e a aplicar o mesmo

---

[27] Doxografia é o conjunto de comentários, biografias ou paráfrases de pensamentos de um autor por parte de outro autor, geralmente contemporâneo ou próximo do momento histórico em que viveu aquele sobre o qual ele comenta.

princípio para sua felicidade e seu adiantamento." Ao compreender esse princípio, podemos perceber uma interessante aplicação psicológica deste: a vida interior, de que tanto necessitamos para construir identidade e propósito e almejar a realização, consistiria em nada mais que um bom controle da mente.

Vejamos: se tudo o que será existe em um plano mental da Natureza, e ela caminha para realizá-lo, tudo o que há de ser em nossa vida, pode-se supor, também tende a nascer a partir do esboço que dele fazemos em nosso plano mental! Isso nos dá a dimensão da responsabilidade que temos ao trabalhar com nossa mente, e o segundo princípio, da Correspondência, logo virá avalizar essa possibilidade: o que faz a mente do todo deve-se aplicar também à mente da parte.

A medicina oriental já ensina há séculos que algumas doenças se originam de formas mentais nocivas. As doenças que geram a decomposição do corpo nasceriam do ódio, que tem por função separar, decompor (vale lembrar o conceito platônico de que o bem é aquilo que une, e o mal, consequentemente, é aquilo que separa). O mesmo pode ser dito do egoísmo: uma célula que apenas pensa em si própria e age buscando apenas o seu proveito imediato, desconsiderando o bem do corpo, é muito semelhante a um homem-célula em relação ao corpo-humanidade. Sabemos o nome dessa moléstia e aonde seu desenvolvimento costuma levar.

Problemas cardíacos seriam consequência de determinados rancores e ressentimentos. Assim, os padrões mentais que você alimenta vão aguardar uma oportunidade para gerar fatos na sua vida; se você não quer que esses fatos se precipitem, mude seus padrões mentais. Não acredite que são apenas os atos físicos que geram consequências; as criações da mente geram consequências tão reais quanto os atos meramente físicos, ou até mais reais que esses últimos.

Erros acidentais não geram tantas consequências quanto uma forma mental que você alimenta durante um prazo razoável. Esta última afeta você e o mundo. Estamos sendo afetados constantemente por formas mentais que estão pairando sobre a humanidade, de tal maneira que, se não tivermos uma identidade bem constituída para sabermos o que é nosso e o que não é, "seremos pensados" em vez de pensarmos por nós mesmos. Então, do mesmo modo que o Universo nasce do plano mental, seu universo particular e sua vida nascem da mesma forma. Logo, "Cuida daquilo que pensas, porque será o teu futuro". Tudo o que virá a ser nasce agora, no plano mental. Eis as bases do primeiro princípio hermético. Estou aqui simplificando, mas imaginem em quantas dimensões esse princípio poderia ser aplicado!

O *Caibalion* cita ainda que uma pessoa com bom controle mental pode mudar, consciente ou inconscientemente, o estado mental do outro (sem muito domínio das próprias forças mentais) e gerar fatos na sua vida prática. É uma espécie de "arte das influências". Uma mente concentrada e disciplinada sempre exerce influência por onde passa, de forma proposital ou não. Pode ser iluminadora quando o faz na direção certa, dando a impressão de que os ambientes por onde passou ficam leves e luminosos por algum tempo, mesmo depois que ela se vai. Mas, quando mal orientada ou mal-intencionada, é um vetor de alto risco! Tem relação com aquilo que popularmente chamamos de "carisma" de certos líderes, que já conduziu muitos à ruína. Assim como acontece na história do conto folclórico *O Flautista de Hamelin*, pessoas assim já levaram multidões a estados de violência e crime inimagináveis, fazendo-as acreditar que trabalhavam "por uma boa causa". Definitivamente, não há outra solução além de se proteger por meio de uma identidade bem firmada em valores e pelo hábito de não agir por impulso, irrefletidamente. É preciso também prática diária do uso da lucidez e da ponderação nas decisões em todos os planos: mental, emocional e físico. Alcançamos o discernimento diante dos grandes riscos da vida quando treinamos, diariamente, ao lidarmos com as pequenas dificuldades cotidianas.

# Capítulo VII

## O Princípio da Correspondência

### II – O Princípio da Correspondência

*"O que está acima é como o que está abaixo, e o que está abaixo é como o que está acima."*

Esta lei é reiterativa em várias tradições. Não se trata aqui de uma relação de igualdade, de algo idêntico, mas, sim, de similaridade, de algo análogo, correspondente simbolicamente; o que há no micro corresponde ao que há no macro. O Universo tem equivalentes em todos os planos, algo extremamente interessante. Este princípio nos permite trabalhar com analogias do conhecido ao desconhecido.

Por exemplo, o bastão ou caduceu do deus Hermes-Mercúrio, com seus três mundos, que representam as três dimensões do homem, sugere: quando observamos essas dimensões – um corpo físico, um corpo psíquico e um corpo espiritual –, percebemos que há analogias muito importantes na maneira como deveríamos tratar esses três corpos, embora, no mais das vezes, não nos damos conta disso.

Vejamos o plano físico: não é qualquer alimento que serve ao corpo, sob pena de grave intoxicação; devemos banhá-lo todos os dias para eliminar o que a ele se adere e o polui, podendo adoecê-lo. A partir desse plano "conhecido", podemos prever analogias interessantes sobre o comportamento necessário nos dois outros planos, que não conhecemos tão bem. Não seriam esses conselhos úteis também para lidar com os outros planos?

No plano mental, por exemplo, não seria correto afirmar que devemos evitar "ingerir" qualquer informação ou tendência sem verificar antes se aquilo é ou não um "alimento" sadio? Ideias distorcidas e contaminadas de inverdades não produzem estados de intoxicação? Não deveríamos limpar nossa mente periodicamente, para extrair dela todas as impurezas que foram se aderindo pelo caminho? Logo, com base no conhecido, podemos aprender muita coisa acerca daquilo que não vemos. Esse princípio nos traz possibilidades muito úteis para operar em planos que não nos são tão acessíveis.

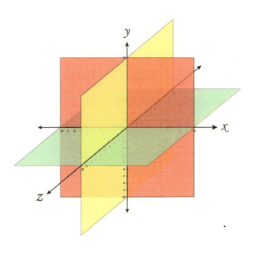

Representação da geometria da Terceira Dimensão feita com computação gráfica.

Platão ensinava que é possível extrair uma lei geral a partir de qualquer coisa que dá certo e aplicá-la em qualquer outro lugar, de forma corretamente adaptada a esse novo plano, obtendo sempre bons resultados. Por outro lado, é possível extrair a percepção de um erro que atropelou uma lei universal de tudo aquilo que não oferece boas respostas, para que esse erro não seja repetido.

Por exemplo, eu poderia dizer que a terceira lei de Newton – toda ação gera uma reação em sentido contrário e de igual intensidade – aplica-se muito bem no plano psicológico e no plano espiritual, sendo idêntica àquilo que, na Índia, se denomina "Lei do Karma". Sempre é bom reiterar que nossos pensamentos e nossas emoções geram também esse retorno, e isso vale não apenas para as ações físicas, como já dissemos anteriormente.

E que uma lei abstraída de uma situação ocorrida em um plano encontra similaridade em qualquer outro plano, isto é, quando desvendamos um mistério da natureza, essa chave funciona como chave universal, que abre portas em vários contextos.

Vou contar uma história bem singela – adoro histórias singelas, pois, em geral, são as de compreensão e memorização mais fácil. Eu e muitos outros companheiros somos voluntários na Organização Internacional Nova Acrópole (escola que ensina Filosofia à maneira clássica, com sede em 60 países) e todos nós trabalhamos na construção de nossas próprias sedes em Brasília e no entorno da capital. Em uma das sedes, minha participação teve início ainda na fase da fundação do edifício, em 1989. Quando chegou aquela árdua parte de rebocar as paredes (tínhamos dois ou três pedreiros que nos orientavam e se divertiam com nossa falta de habilidade para a função), percebi que a tarefa era bem mais complicada do que eu imaginava.

Nós, leigos, atirávamos a massa na parede com aquela pá de pedreiro, e tudo caía no chão. Então, o pedreiro ia até lá e, sem nenhum esforço, arremessava a massa, e ela grudava. Em certo momento, depois de muitas tentativas frustradas, concentrei-me e passei a observá-lo. Observei qual era a distância que ele ficava da parede, a quantidade de massa que colocava na pá, a força que aplicava. Memorizei tudo e fui até lá: calculei a distância da parede, a quantidade de massa, o impulso, todos os detalhes que havia observado, e arremessei. Não é que a massa grudou? Depois disso, fiquei muito orgulhosa com minha *performance* única e quase brindei com champanhe a minha conquista, mas terminei indo fazer outro trabalho, porque, evidentemente, não tinha vocação para aquilo.

Ficou claro que, num contexto como aquele, um pedreiro será sempre melhor que eu na atividade "rebocar paredes". Porém, essa experiência me ensinou coisas aplicáveis em vários outros setores da minha vida. Por exemplo: eu estava, certa vez, conversando com uma pessoa muito descontrolada emocional e psicologicamente por conta de problemas pessoais. Fiquei ouvindo-a falar e esperando o momento certo para interferir com um comentário que pudesse ajudá-la. Era preciso permitir que ela desabafasse um pouco, para se acalmar, mas não tanto a ponto de que isso a deixasse tão abalada emocionalmente que não conseguisse ouvir mais nada. Eu não poderia falar muito, porque, naquele momento, ela não estava preparada para ouvir grande parte da verdade. Mas eu tinha o dever de falar algo que mudasse seu ciclo mental, sem chocá-la. Era preciso que eu transmitisse parte da verdade, e essa porção não podia ser nem demasiada nem insuficiente, porque, nesse último caso, não teria efeito algum. Eu não podia falar com dureza, pois com isso ela se magoaria. Teria que falar com firmeza, pois, caso contrário, não teria credibilidade. Então, achei a quantidade certa, a intensidade certa, a hora certa, e... a mensagem "grudou"! Isto é, penetrou em sua mente de maneira eficaz.

Esta é a particularidade dos filósofos: um aprendizado oferecido por eles é uma chave e significa várias portas abertas. Já aqueles que chamamos de técnicos, conhecedores de um único ponto nas ocupações tidas como úteis, geralmente dominam uma única aplicação desse princípio – aquela para a qual foram formados tecnicamente. Mas não usam esse conhecimento para, por similaridade, se aproximarem do princípio universal da vida, aquele que, ao ser compreendido, lhes permitiria viver melhor. Essa prática da filosofia é uma das muitas aplicações do Princípio da Correspondência.

A Inteligência é a arte de estabelecer relações; o homem inteligente sabe relacionar as coisas e as situações. Nós, em geral, costumamos ser exclusivistas, especialistas e até um tanto comodistas: perdemos a paixão pela descoberta dos mistérios da vida, o que se consegue procurando por seu fio e buscando conhecer todos os caminhos por onde ele passa. Por isso, podemos dizer que Inteligência é um atributo raro em nosso momento histórico – exige motivação, prática, treino. Sobretudo no campo das humanidades, que são as áreas que mais sofrem quando nossa forma de vida se desumaniza, substituímos a inteligência pela memorização de pensamentos alheios e uma certa habilidade intelectual para discorrer sobre eles, sem jamais ir a fundo para checar os laços que unem (ou não) esse pensamento à vida.

Analisemos o princípio gravado no templo de Delfos, na Grécia, "Homem, conhece a ti mesmo e conhecerás o Universo e os deuses": não se trataria da mesma coisa que diz o Princípio da Correspondência, "O que há acima, há abaixo"? E o que dizer do princípio de Platão segundo o qual o homem é um microcosmo inserido em um macrocosmo? E do princípio bíblico segundo o qual "Deus fez o homem à sua imagem e semelhança"? Então, como ousar dizer, como alguns o fazem, que *O Caibalion* é um livro recente e sem fundamentações no passado? Todo o passado reverbera para aquele que é capaz de visualizar o fio da vida.

# Capítulo VIII

> O Princípio da Vibração: Os Patamares Vibratórios do Universo. O Nome Interno e a Depuração do Gosto

### III – O Princípio da Vibração
**"Nada está parado; tudo se move; tudo vibra."**

Este terceiro princípio, da Vibração, possui elevado grau de beleza, revelado a partir da compreensão de seus múltiplos significados. Heráclito, entre os pré-socráticos, discursava sobre algo muito semelhante: "Nada está parado, tudo se move, tudo vibra". Vamos tomar o exemplo de um relógio de quartzo; por que ele funciona? Porque o quartzo vibra. Quem

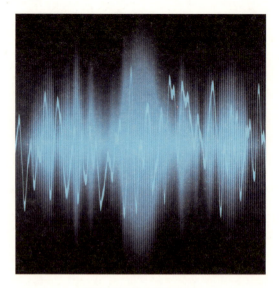

Efeito vibracional do som.

trabalha na área da construção civil sabe que, ao planejar uma obra, é preciso considerar o fenômeno de expansão e contração dos materiais, que ocorre de acordo com as alterações na temperatura ambiente.

Existe um conceito oriental que pode ser traduzido como "nome interno". Imagine que um grande mestre do passado fosse capaz de viajar até nós e disparasse a mais complexa de todas as perguntas: "Quem é você?". Que tipo de resposta ele esperaria de nós? Nome, profissão, endereço, código postal? Se mudarmos de casa e de profissão, deixaremos de ser nós mesmos?

Será que esses pequenos pedaços de papel que trazemos na carteira, com foto e um monte de números, responderiam bem à pergunta desse mestre? Talvez ele esperasse simplesmente que soubéssemos o que faz nossa consciência vibrar, o que nos toca, qual é o nosso nível vibratório: isso é o que somos, por agora, e crescer é sutilizar ainda mais essa vibração. Mas, por ora, esse é nosso nome interno.

Quando é dada a partida no motor de uma motocicleta, sabemos que ele vai fazer aquele barulhinho tão tradicional e "agradável", que começa com um ritmo de batida alto e forte e vai, à medida que o veículo vai acelerando e se afastando, tornando-se mais agudo e enfraquecendo, até parecer ter sumido. Mas ele não sumiu: apenas saiu do nosso espectro auditivo, ultrapassou o limite da intensidade de vibração que somos capazes de perceber. O mesmo ocorre com a luz: quando ela chega a certo espectro de vibração, já não a enxergamos mais, mas ela continua vibrando...

Em suma, o nome interno das coisas tem a ver com o parâmetro vibratório que elas possuem em determinado momento. Para a tradição egípcia, segundo *O Caibalion*, as coisas funcionariam mais ou menos assim: se você acelera a matéria, vai ter energia; se acelera a energia, vai ter luz; se acelera a luz, vai ter o Espírito; se acelera o Espírito, chega até Deus. Os extremos, Matéria e Espírito, possuem vibração tão lenta, de um lado, e tão intensa, de outro, que parecem, ambos, à primeira vista, estarem parados. Acelerar e sutilizar as percepções de nossa consciência seria o sentido obrigatório da evolução humana.

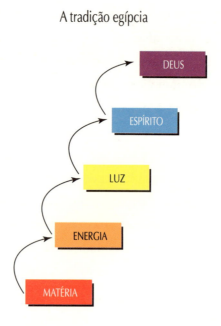

Resumindo, cada coisa no Universo pode ser medida pelo nível vibratório em que está. A consciência vibra num determinado patamar e pode ser acelerada ou desacelerada. O "nome interno" corresponde ao nível de vibração em que a consciência se encontra agora, e é nosso dever convidá-la a subir mais um degrau.

Platão, em *A República*, sonhava com uma cidade ideal; por isso, alertava: "Cuidado com a música que o governo oferece às pessoas. Conheço um Estado pela música que os governantes dão ao povo". Sabem por quê? Porque música é padrão vibratório puro e tem a capacidade de "convocar à conformidade", ou seja, chamar persuasivamente as pessoas para se alinharem ao padrão definido por ela. Percebam que nada é impune em nossa vida, e devemos estar atentos aos chamados "detalhes significativos", às influências que pairam sobre nós, e selecioná-las, na medida do possível.

Uma pessoa habituada a ouvir músicas com vibrações muito grosseiras, muito agressivas, mas que se justifica: "Isso não tem nada a ver com a minha vida, sou uma pessoa de princípios, mas gosto dessa música", perceberá, com o tempo, que as coisas não funcionam bem assim. Em algum momento, diante de uma dificuldade da vida que a pressione um pouco mais que o normal, sua consciência vai correr para aquele padrão vibratório com o qual ela criou afinidade, e ele lhe proporá uma resposta tão infame quanto o nível em que ele vibra. Por isso, Platão falava da música como elemento fundamental da educação.

Houve um pensador indiano do século XX, Nilakanta Sri Ram, que afirmava que a elevação da consciência está diretamente vinculada à prática da depuração do gosto. Portanto, deve-se ter cautela com as coisas que puxam a consciência para vibrações grosseiras e agressivas. É necessário aprender a vibrar cada vez mais diante de coisas mais sutis, harmoniosas, humanistas e espirituais, o que é um aprendizado factível.

Considerando, como vimos, que o "nome interno" de cada ser é o grau vibratório no qual ele está, podemos entender melhor a ciência indiana dos mantras, onde se tentava reproduzir sons sagrados, por exemplo, o nome dos deuses. Um nome, quando é correto e corretamente pronunciado, eles acreditavam, era parte do corpo de um ser; pronunciá-lo era como "puxá-lo pelo braço", para que esse ser viesse até nós. Mas quão longe de nós está, em nossos dias, entender o mistério do som e da palavra, com suas vibrações! Entender o *hieros logo*a, a palavra sagrada dos gregos, ou a expressão bíblica: "No princípio, era o Verbo...".

Eis, então, o Princípio da Vibração. Todos os pensamentos, as emoções ou os estados mentais têm seu grau e modo de vibração. Assim, se evoluir é sutilizar nossa vibração, busquemos as coisas com vibrações mais sutis para nos alinharmos a elas. Tudo gera consequências. Vamos ver essa mesma proposição em outro princípio que virá adiante, uma vez que eles se encontram, todos, enlaçados e contidos no Princípio do Mentalismo.

Um detalhe interessante que podemos observar é que a ciência atual já percebe e identifica níveis diferentes de vibração no espectro matéria/energia. Podemos projetar uma expectativa de que, em algum momento do futuro, ela possa também identificar e classificar as vibrações no Plano Mental. Podemos nos apoiar no conhecido exemplo de um pião girando com aceleração crescente e de como ele irradia notas, calor, cor, raios X,

# O ESPECTRO ELETROMAGNÉTICO

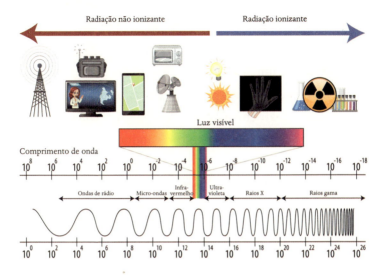

Escala de radiações do Espectro Eletromagnético, com as representações dos sete tipos de ondas eletromagnéticas: rádio, micro-ondas, infravermelho, luz visível, ultravioleta, raios X e raios gama. Com exceção da luz visível, todas as outras são impossíveis de ver a olho nu.

eletricidade, magnetismo, até chegar à desintegração (libertação da matéria). Quem sabe, algum dia, saberemos que algo do pião continua existindo depois desse ponto, prosseguindo na caminhada rumo a vibrações ainda mais aceleradas, atingindo planos cada vez mais sutis, e que isso também pode ser uma chave de compreensão para processos em outros planos? Isso nos ensinaria muito sobre o fenômeno da morte, por exemplo.

Como vemos, a vibração pode libertar a energia da prisão matéria/forma. Assim também, quando acelerados ou sutilizados, o pensamento, a emoção e a vontade poderiam projetar suas energias e afetar os demais por indução.

As cordas de um instrumento dedilhadas por um intérprete, por exemplo, dependendo de sua técnica, inspiração e repertório, podem produzir em quem o ouve uma sintonia em qualquer grau mental; isso é um exemplo de indução. E o que é mais curioso, segundo *O Caibalion*, é que isso pode ser provocado tanto na nossa própria mente como na de outros. Relata-se que os mais elevados conhecimentos herméticos eram capazes de produzir na mente o que a ciência alcançou fazer na matéria: reposicionar a vibração aonde se almejar.

Daí a narrativa sobre o poder dos grandes sábios do passado de elevar a mente de um discípulo, ainda que apenas por alguns instantes, a um nível mental que ele só alcançaria no futuro, mediante grande esforço. Mas esse vislumbre momentâneo funcionava como elemento motivador de grande eficácia. Enfim, dentro daquilo que se costumava chamar de "mistérios egípcios", trabalhava-se tracionando para cima a vibração dos seres. Dispensável dizer que o contrário também pode acontecer, e não está muito distante de nós: o bombardeio intenso e diário que recebemos de imagens e palavras relacionadas ao eixo vulgaridade/violência/oportunismo produz efeitos bem sensíveis e quantificáveis a um observador razoavelmente atento.

Representação do bombardeio diário de imagens e informações gerais que recebemos todos os dias em nossa era de hiperinformação.

Como conclusão, eis algumas interessantes máximas de *O Caibalion* acerca desse princípio:

- "Aquele que compreende o Princípio da Vibração alcançou o cetro do Poder".
- "Para mudar a vossa disposição e vosso estado mental, mudai a vossa vibração".
- "A Mente pode ser transmutada de estado em estado, de grau em grau, [...], de vibração em vibração".

## Capítulo IX

> O Princípio da Polaridade: O Ensinamento do Termômetro e a Reversão de um Polo a Outro Através da Ferramenta da Vontade

### IV – O Princípio da Polaridade

**"Tudo é duplo; tudo tem polos; tudo tem seu par de opostos; semelhante e dessemelhante são uma só coisa; os opostos são idênticos em natureza, mas diferentes em grau; os extremos se tocam; todas as verdades são meias verdades; todos os paradoxos podem ser reconciliados."**

A descrição desse princípio é bem especial e marcante: difícil, complexo, mas muito verdadeiro. Imaginem algo simples como um termômetro: o gradiente de temperaturas vai do quente ao frio, idênticos em natureza, mas diferentes em

Imagem de representação de polaridades a partir do fogo/água em uma releitura do símbolo do Yin/Yang da filosofia chinesa.

grau. É difícil (ou mesmo impossível) fazer com que o mostrador de temperaturas desse termômetro determine arbitrariamente onde começa "o quente" e onde termina "o frio". É necessário que haja um parâmetro específico para que seja possível dar este veredito, por exemplo, a temperatura corporal ideal do ser humano, que é 36,5 °C, para delimitar quando, considerando esse parâmetro, nosso corpo estará febril ou com hipotermia. Sem parâmetros, não há quente nem frio: há só temperatura, simplesmente gradientes diferentes de uma única realidade.

Agora, ouse pensar: dentro do Universo como um todo, qual é o parâmetro para adjetivar todas as dualidades? O que é grande e o que é pequeno? O que é importante e o que é desimportante? Até onde podemos perceber, esse parâmetro não existe. Mesmo a dualidade bem/mal teria que ser revista, conforme a Lei da Necessidade: o que leva os seres à evolução prevista para eles, o que os aproxima da Unidade, é sempre bom, mas nem sempre se apresenta de forma agradável. Na verdade, pode parecer bastante ruim para aqueles que sofrem as consequências. Por outro lado, aquilo que é agradável, aquilo que aparenta ser sorte e até felicidade pode, em alguns casos, estar destruindo a vida de todos os envolvidos.

Como já dizia Platão acerca da Ideia do Bem, cada coisa tem um contexto onde mostra sua face luminosa. Não existe mal absoluto, pois, além de injusto, isso seria impossível do ponto de vista lógico: se há o Bem Absoluto, qualquer coisa fora dele que exista, absoluta ou não, faz com que ambos se tornem relativos. O Uno cairia para a categoria de "dual" e relativo; o Todo viraria "parte". Portanto, mesmo as coisas e os seres que parecem maus em certos contextos podem se mostrar bons e úteis quando vistos de outros ângulos, uma vez que nada pode ser absolutamente mau em um Universo governado pelo Único Absoluto, pelo Bem.

Além do mais, levando em consideração o conceito platônico de que o Bem une e o Mal separa, algo absolutamente mau não possuiria nenhuma força de coesão entre suas partes: explodiria, não teria como se manifestar. A vida, que é sempre composição de partes, só é viável graças à parcela de Bem, ainda que ínfima, que existe em cada coisa.

Acredito que vale a pena repassar rapidamente aquele antigo e conhecido conto chinês no qual um pai, ao ser parabenizado pelo fato de o filho ter ganhado um cavalo, afirma: "Pode ser bom, pode ser mau!". No dia seguinte, o filho cai do cavalo e quebra a perna. Todos lamentam o ocorrido, ao que ele reitera: "Pode ser bom, pode ser mau!". Passa-se mais um dia, e todos os jovens da região são convocados para ir à guerra, menos seu filho, pois estava com a perna quebrada... E assim prossegue a história.

Dando continuidade ao princípio da polaridade, quando as coisas estão dentro de uma mesma natureza, de uma mesma substância, e são diferentes apenas em grau, não é difícil reverter uma coisa em outra; todos os seres manifestados possuem dois polos e muitos graus entre esses dois extremos. Todos os seres da mesma natureza possuem uma diferença apenas de grau; portanto, passar de um grau a outro não é algo impossível.

Você não pode reverter coisas diferentes, mas coisas de mesma natureza podem, sim, ser revertidas – mais que isso, devem ser revertidas. Por exemplo, a preguiça pode ser revertida em disposição, em atividade; a crítica, em sobriedade; o ódio, em

Imagem de representação sobre equilíbrio e polaridades.

afeto. Reitero que estamos tratando aqui de coisas de mesma natureza, mas com graus de vibração diferentes. Então é possível reverter sua posição, nesse gradiente, assim como um antitérmico reverte a temperatura de uma pessoa febril. Não é possível, por exemplo, reverter o "macio" em "quente", pois esses não são elementos pertencentes à mesma natureza.

É possível mudar vibrações de ódio em vibrações de afeto por um ato de vontade: é necessário possuir decisão clara e firme no plano mental; no plano físico, é preciso ter ritmo constante e direcionado coerentemente. Praticadas em conjunto, essas duas coisas constituem a aplicação prática da Vontade em nosso nível: decisão no plano mental, perseverança e constância no plano físico.

São muito comuns, nas telenovelas brasileiras, personagens que se odeiam no primeiro capítulo e, mais tarde, acabam se apaixonando. É de uma previsibilidade total e baseia-se na aplicação desse princípio. Para sermos mais exatos, devemos saber que o ódio polariza com a paixão ou o afeto, enquanto o verdadeiro amor polariza com a indiferença.

Enfim, ao localizarmos o oposto de nossas emoções atuais, podemos converter essa emoção até o outro lado da escala se trabalharmos com vontade potente e bem canalizada. É algo plausível e de uso recorrente ao longo da história das transformações emocionais humanas, além de ser de grande utilidade em nosso conflitivo mundo atual: imaginem uma capacidade potente e efetiva de transformar rechaço em simpatia, negação em compreensão, repulsa em piedade, egoísmo em fraternidade e tantas outras aplicações tão necessárias...

Então, podemos acreditar em uma reconciliação universal dos opostos através do Princípio da Polaridade. Reforço que não se trata de mudança de natureza, mas apenas de mudança de grau.

Há outra peculiaridade apontada por *O Caibalion*, segundo a qual em planos sutis, ao contrário do que acontece no plano material, onde impera a força bruta como forma de poder, o polo superior (grau mais elevado e sutil) tende a dominar o inferior: mente e emoções sobre energia e matéria. Nesses planos mais sutis, há uma tendência da natureza para a atração dos seres de volta para a Unidade, como uma espécie de "gravidade invertida", ou, como dizia o filósofo Jorge Angel Livraga, uma espécie de "[...] cair para Deus em um apertado abraço". Assim, no plano mental, por exemplo, a vibração daquele que mais eleva seus interesses e suas atenções e cuja consciência ganha em amplitude e profundidade tende a ser contagiante e exercer maior influência que a vibração do egoísta e grosseiro.

"Para destruir uma desagradável ordem de vibração mental, põe em movimento o Princípio da Polaridade e concentra-te no polo oposto. Destrói o desagradável mudando sua polaridade."

Vamos a um conto que nos ajuda a entender melhor essa máxima hermética. Há uma antiga história oriental acerca de um imperador que, um dia, chamou seus conselheiros e disse: "Dentro de um ano, terei acabado com todos os meus inimigos!". Temerosos ante a afirmação tão contundente, seus conselheiros nada disseram. Um ano depois, ao caminhar pelos jardins do palácio, um dos conselheiros avistou o imperador conversando alegremente com um grupo que caminhava com ele. Ao se aproximar, constatou que não eram ninguém menos que... todos os seus inimigos! Aproximou-se do imperador e, em reservado, lhe indagou:

> "Senhor, lembro-me de que há um ano, nesse mesmo local, Vossa Majestade nos disse que acabaria com todos os seus inimigos!", ao que o imperador sorriu e respondeu: "Eu o disse e fiz! Transformei todos eles em amigos!".

A interessante história nos sugere que este valente imperador conseguiu ser vitorioso naquela que talvez tenha sido a mais dura batalha travada em toda sua vida... Inverteu a polaridade de seu ódio e de sua rejeição.

Não posso deixar de me lembrar, também, do belo conto do escritor florentino Carlo Collodi, que, em 1881, começou a publicar em capítulos seu belíssimo *As Aventuras de Pinochio* para um jornal infantil. Sem entrar aqui em detalhes (os quais são bastante interessantes e já foram abordados por mim em uma palestra a respeito desse conto), o "filho" de madeira de Gepeto implora à primeira estrela que avista que se torne um menino de verdade, ou seja, um legítimo ser humano. Obviamente, trata-se da "Estrela-d'Alva", que sabemos ser o planeta Vênus, planeta que, em tantas antigas tradições orientais, estava diretamente relacionado à mente superior, à mente pura e altruísta, o "manas" do sânscrito antigo que, por se tratar de uma língua que brota da mesma fonte protoindo-europeia de onde vêm as línguas ocidentais, tem forte relação com o anglo-saxão *man*, ou homem.

Assim, Vênus (ou Shukra, como é chamado na Índia), está ligada a essa mente superior que acompanha o caminho daqueles que querem, de fato, ser dignos da condição humana; foi o que fez a Fada Azul. Enfim, para essas distantes tradições, Vênus é um símbolo (ou mais que isso) que invoca à elevação aqueles que têm por meta a condição humana plena. E o nome Gepeto ecoa em nossos ouvidos como algo semelhante a Jápeto, aquele titã que, com Clímene, traz à luz Prometeu, o herói que rouba o fogo do Olimpo (mente superior) e o presenteia aos homens... parodiando as palavras de Shakespeare pela boca de Hamlet, "Há mais coisas no céu e na terra, Horácio, do que foram sonhadas na sua filosofia". E não só coisas, mas também conhecimentos...

Cessando as histórias e voltando ao nosso assunto (se é que em algum momento nos afastamos dele), conhecemos bem, na sociedade, essas oscilações de uma vibração para outra, mas não temos muita familiaridade com o Princípio da Neutralização, que torna o operador capaz de interferir nesse processo, colocando-se acima dele. Vamos entender um pouco melhor essa questão estudando o Princípio do Ritmo.

# Capítulo X

O Princípio do Ritmo: A Compreensão de sua Presença no Mundo, as Polaridades Excessivas e o Preço a se Pagar por Elas. A Neutralização e sua Extensão Até a Superação da Dualidade

### V – O Princípio do Ritmo

"Tudo tem fluxo e refluxo; tudo tem suas marés; tudo sobe e desce; tudo se manifesta por oscilações compensadas; a medida do movimento à direita é a medida do movimento à esquerda; o ritmo é a compensação."

O Princípio da Polaridade está bastante associado ao Princípio do Ritmo, porque o processo rítmico opera entre os dois polos de todas as coisas. Para ilustrar esse princípio, vou dar um exemplo familiar: minha avó era uma senhora

Imagem sobre o Princípio do Ritmo representada por um pêndulo em movimento.

bem interessante, que não teve acesso à educação convencional, mas era dona de uma sabedoria prática de vida que me chamava muito a atenção. Ela certamente nunca ouviu falar que existiu um Hermes Trismegisto; não sei nem mesmo se sabia da existência do Egito; porém, ela repetia sempre o seguinte ditado popular, além de outros: "Dia de muito riso, véspera de muito siso".[28]

Vivíamos todos histéricos, aquela criançada infernal na casa dela, correndo, gritando, mexendo nas coisas, e ela vinha

---

[28] Siso ou sisudez indica estado emocional de seriedade e até certa melancolia.

e dizia: "Meninos... amanhã vão estar chorando...". Eu não entendia nada, que loucura! O que uma coisa tinha a ver com a outra? Todavia, em várias situações, a experiência já me mostrou a existência desse gradiente de euforia e depressão. Se oscilamos um tanto para cá, vamos oscilar um tanto para lá, na mesma medida, como forma de compensação.

Não é raro testemunharmos um casal que, numa fase inicial do relacionamento, possui comportamento explosivo, demonstrações barulhentas de paixão, às vezes chegando até mesmo a comportamentos extremos e caricatos. Esse gradiente de euforia, com o tempo e o desgaste de um casamento malcuidado, pode se tornar um gradiente de agressão ou de rejeição igualmente intenso. Dificilmente verifica-se um casal que tenha sido muito sereno e sóbrio na fase de contato inicial e que depois chegue à violência psicológica ou até física... Serenidade possui um gradiente bem pequeno de desvio do centro. As coisas se compensam numa proporção equivalente, seguindo uma lei matemática da natureza.

Assim, o Princípio do Ritmo (muito parecido com a terceira Lei de Newton) vai dizer que os desvios tendem a se compensar com igual intensidade, mas em sentido contrário. A questão a ser enfrentada pelo homem que tem ódio intenso não seria gerar uma paixão intensa, porque a paixão, depois de amanhã, pode virar ódio de novo e, agora, mais bem fundamentado. A questão seria buscar aproximar-se do centro, diminuir seu afastamento dele, sua "excentricidade". Ou seja, buscar equilíbrio e harmonia.

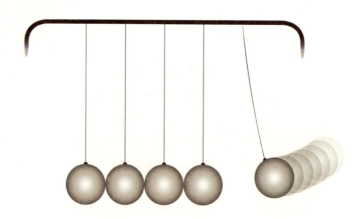

A busca por equilíbrio e harmonia está no cerne da vida e no movimento das coisas.

Observem o que acontece quando um grupo de pessoas se reúne para brincadeiras vulgares, com enorme euforia, todos rindo sem controle e até praticando *bullying* com alguém morbidamente selecionado como vítima. No final da festa, todos sentem uma baixa abrupta de ânimo, acompanhada de uma espécie de gosto amargo na boca: é o sabor dos excessos. É a contraparte, o Princípio da Polaridade, gerando seus frutos. Da próxima vez que você sentir isso, pode dizer com firmeza: Hermes Trismegisto! Todo mundo vai se surpreender e perguntar: "Quem é Hermes Trismegisto?". Não importa: você vai ter entendido um fragmento desse mistério: as polaridades se compensam.

Então, o que deve ser usado para superar o ódio não é a paixão, que é o outro polo, e sim o amor, a harmonia, que é o centro. Só que o amor não pode estar no meio do caminho entre a paixão e o ódio, como se fosse o ponto médio de uma linha, no mesmo nível dos extremos; ele está acima, em outro patamar, como se promovesse a formação de um triângulo.

Se você puxa um pêndulo para o meio do caminho, ele continua muito, digamos, vulnerável em seu posicionamento centralizado e vai voltar a vibrar perante qualquer pequeno estímulo. Temos que subir até o fiel da balança,[29] até aquele ponto superior que não vibra; da mesma forma, temos que nos elevar para desenvolver o verdadeiro amor, que já não vibra, mas possui algo de estabilidade e durabilidade. Seria algo parecido com o presépio que se monta no Natal: de um lado, o burrinho, que representa a inércia; do outro, o boi ou o touro, que representa o impulso descontrolado; e, lá em cima, na manjedoura (ponta do triângulo), o Cristo, que representa o equilíbrio, a serenidade. Ou seja, o equilíbrio se alcança ao conquistarmos outro patamar de consciência, ao sermos puxados para cima. E isso é o Princípio da Neutralidade, subprincípio do Princípio do Ritmo.

A tradição indiana cita a existência das Gunas, formas de movimento na manifestação. São elas: Tamas, a inércia; Rajas, o impulso; e Satwa, o equilíbrio, elevado a um ponto superior... Como um triângulo!

"O ritmo é inexorável, mas podemos encontrar um ponto de estabilidade que nos tire dessas variações", diz *O Caibalion*.

---

[29] Haste, fio ou ponteiro que marca o equilíbrio das balanças antigas.

Se você acredita que existiram homens que amaram verdadeiramente a humanidade (para quem é cristão, Cristo; para quem é budista, Buda; enfim, tantos seres especiais que nos deixaram preciosos ensinamentos), como o amor deles se manifestava? Não era sereno, sóbrio e duradouro? Era um amor lá de cima, do fiel da balança. É um amor moderado, sólido e profundo em sua expressão; garante a si mesmo, não sofre oscilações, não se contradiz. Como diz o *Caibalion*: "Não há como acabar com as oscilações, mas podemos minimizar suas influências sobre nós com a Lei da Neutralização".

Vamos analisar a Lei da Neutralização. Digamos que um menino e sua coleguinha estejam brigando por um ursinho de pelúcia. Como você vai conciliar essa briga? Se você também deseja o ursinho, será uma terceira criança a brigar por ele, e o conflito se acirrará. Mas, se você já superou seu desejo por ursinhos, se essa necessidade de experiência já foi superada, ou seja, se é um adulto maduro e equilibrado, você já subiu um degrau e neutralizou as paixões desse patamar; então, pode harmonizar lá embaixo. Pode aproximar-se e dizer: "Não briguem, crianças, pois assim vão acabar rasgando o ursinho! Aprendam a compartilhar!". Sua voz ao dizer isso tem boas chances de ser ouvida, porque vem da autoridade de quem não deseja, mas apenas oferece um conselho maduro.

O caminho é o Princípio da Neutralização; há que se entender que esses conflitos, essas oscilações entre polos, fazem parte da Lei, e a Lei não pode ser cancelada. Contudo, é possível colocar-se em outro nível, subir para não mais ser atingido por aquela Lei naquele patamar e, assim, ser capaz de apaziguar conflitos naquele plano que foi superado. A neutralização significa crescer para dominar os fatores que estão nos atingindo nesse plano, passar para outro patamar mais elevado de consciência.

Agora, retomando o exemplo do ursinho, observe o seguinte: o pai de uma das crianças, que neutralizou o conflito, pode ser procurado pelo pai da outra criança, que estabelece outro conflito em seu patamar: "Não te autorizei a dar ordens ao meu filho!", ou qualquer outro argumento dessa natureza. Aí há outro desejo, talvez até inconsciente, de ser "o melhor pai" ou algo do tipo, desejo esse que nenhum dos dois superou ainda. Quem pode neutralizar esse novo conflito, em outro patamar? Talvez um avô, que, por já ter passado por isso e não ter qualquer necessidade de ser considerado o melhor pai, possa interferir e dizer: "Que vergonha, vocês dois! Dois adultos! Não veem que ambos querem o mesmo, que é o bem das crianças? Parem já com isso!". E tudo se pacifica, com a presença de um novo "neutralizador", um patamar acima...

E se aparecer o outro avô, pai do outro adulto conflitante, e disser: "Quem é você para se achar o avô mais sábio e apto para orientar os rapazes? Sou um ano, dois meses e 25 dias mais velho que você, estive na guerra etc...". Lá estamos nós em outro conflito, em outro patamar, que precisará ser neutralizado por alguém acima, que não necessita ser mais velho em

Tetraktys é uma representação geométrica pitagórica denominada "triângulo perfeito". Tendo valor místico entre os pitagóricos, esse símbolo é composto de dez pontos distribuídos em forma de triângulo.

idade, mas mais maduro em consciência. Observem o gráfico acima da Tetratkys[30] pitagórica.

Percebam que, de neutralização em neutralização, um dia chegarão à Unidade, onde não há mais polarizações, pois toda

---

[30] Tetraktys ou década pitagórica é um triângulo formado por pontos que representa as quatro dimensões e os quatro elementos da manifestação (terra, água, ar e fogo).

dualidade terá sido harmonizada e superada. Assim, a neutralização seria um processo seguro para chegar àquele ponto em que todos os desejos do ilusório foram superados e a Unidade é bem-vinda.

A Organização Internacional Nova Acrópole, da qual faço parte, foi trazida para o Brasil por um professor chamado Michel Echenique Isasa. Um dia, ele me disse uma coisa muito interessante: a Natureza, a geografia terrestre, possui cumes e vales, mas lá no alto existe um sol que, pelo menos para o nosso ponto de vista, está constante, não está oscilando, está detido, observando as oscilações. E que a nossa consciência tem algo de solar e algo de terrestre.

Então, se nos identificamos mais com a terra, vamos ficar subindo e descendo, seguindo a geografia terrestre: cumes e vales. Mas, se nos identificamos com aquilo que é solar em nós, mesmo que nosso corpo e nossas emoções continuem subindo e descendo, ao acordarmos pela manhã, podemos dizer: "Meu corpo hoje está mal, mas eu estou bem; meu emocional hoje acordou instável demais, mas eu estou bem!". Ou seja, quando não é dada muita atenção a essas vibrações inferiores, quando não nos identificamos com elas, elas vão se tornando mais suaves e controláveis. Um exemplo interessante é o de uma criança fazendo birra: quando olhamos para ela, o escândalo piora e fica mais ruidoso! Se fizermos de conta que não a estamos ouvindo, ela vai serenando. Logo, se você se identifica com um patamar acima, as oscilações aqui embaixo vão serenando e ficando cada vez mais fáceis de serem administradas.

*O Caibalion* reitera, inclusive, que não existe casualidade, e que, em muitos casos, o sofrimento e o gozo são efeitos de polarizações não neutralizadas no passado. Ou seja, de necessidades de experiência ainda naquele patamar (inclusive entre encarnações).

Enfim, esse princípio nos mostra que os planos superiores dominam os inferiores. Os sábios, graças a ele, são capazes de dominar, desde cima, elementos como gênio, caráter, hereditariedade, cultura, entre outros, e neutralizá-los. Isso permite que sejam aquilo que escolhem ser, como um ato de legítima vontade.

# Capítulo XI

### A Causalidade: Suas Relações com a Lei Indiana do Karma. Possibilidade de Domínio das Causas

**VI – O Princípio da Causa e Efeito**

**"Toda causa tem seu efeito; todo efeito tem sua causa; tudo acontece de acordo com a Lei; o acaso nada mais é que um nome dado a uma Lei não reconhecida; há muitos planos de causalidade, mas nada escapa à Lei."**

Este princípio corresponde quase exatamente à conhecida lei indiana do karma. De certa maneira, tem a ver com a polaridade sobre a qual já falamos. Segundo essa lei, quem quer mudar o futuro deve gerar causas diferentes agora, pois o que nascerá amanhã sempre corresponderá exatamente à semente que você plantou hoje. A pensadora russa do século XIX Helena Blavatsky costumava dizer: "Não adianta pedir aos deuses para o pouparem das consequências cujas causas você já gerou". Porque, se existem deuses, havemos de convir que eles se tornaram grandes por respeitar as leis da natureza. Ademais, nem eles podem contra o *karma*. Mas até mesmo o mais simples dos seres pode atuar para interromper a geração de causas que poderiam lhe fazer sofrer as mesmas consequências no futuro. No campo das causas, todos temos poder; no campo das consequências, todos somos condicionados. Ou seja: não existe acaso, e a sequência dos fenômenos é ininterrupta.

A tradição cristã diz: "A semeadura é livre; porém, a colheita é obrigatória". Faz todo sentido. Se você semeou trigo, não chore na hora da colheita por querer soja. É trigo o que vai colher. Lembre-se, no entanto, de que você é livre para, na próxima semeadura, plantar o que quiser. No terreno das causas, somos livres; no terreno das consequências, há o condicionamento gerado pelos efeitos lógicos daquilo que escolhemos. Esse é um raciocínio que, quando bem compreendido, coloca um ponto final nas eternas polêmicas sobre livre-arbítrio e determinação kármica. Essa compreensão proporciona sensação de liberdade e autonomia, porque somos livres para gerar causas cujas consequências sejam precisamente aquelas que sonhamos para o nosso futuro. Podemos, assim, começar a fechar

Imagem de representação de reação em cadeia a partir da ação conhecida popularmente como "Efeito Dominó".

circuitos na nossa vida por onde nossa vontade flua com eficácia e nossos sonhos possam alcançar sua realização.

Há que se destacar que não há grande ou pequeno na Mente do Todo. Em todos os planos em que atuamos, em todas as dimensões de nossa atuação, geramos efeitos; cada ideia, ato e emoção repercutirão no futuro. Sabemos que a maior parte dos seres humanos não possui domínio nenhum sobre si mesmos, infelizmente. Resumem-se a escravos da hereditariedade, das opiniões, dos costumes e de seu meio. As arrogantes afirmações ostentadas por alguns jovens, no estilo "Faço o que quero...", só mostra quão distantes estão de entender o que é criar a própria trilha, pois não se pode ser livre sem primeiro Ser; não se pode querer sem sequer conhecer as opções disponíveis e suas consequências.

Parece que os mestres que dominaram a si próprios ao longo da história da humanidade conheciam as regras do jogo da vida e alinhavam-se acima delas, com Leis maiores, como já tratamos ao falar da neutralização. Conheciam a relação íntima entre vontade e liberdade; escolhiam servir em um plano superior e governar no plano material.

O *Caibalion* reitera, ainda, uma máxima bastante recorrente: nada escapa à Lei do Todo, nada é insignificante, e todas as coisas que classificamos como pequenas ou grandes, relevantes ou irrelevantes, possuem peso e importância igual diante do Todo. Podemos observar, ainda, que esse centro de identidade que existe em todos nós é também um centro de liberdade: quanto mais próximos do Centro/da Essência, mais livres e autônomos somos. Quanto mais longe desse Centro, mais determinismo pesa sobre nós.

Há uma curiosidade que talvez você já tenha presenciado em algum momento da vida: quando estamos passando por uma fase difícil, mas temos a disposição de aprender com ela – e não apenas transferir a responsabilidade –, somos capazes de localizar exatamente qual foi a situação que geramos, o erro que cometemos que trouxe como consequência aquela experiência,

Modelo de propagação de ondas concêntricas (como as formadas ao lançar uma pedra em um lago) que mostra o processo de causa e efeito.

unindo, assim, as duas pontas da vida: causa e efeito. É claro que isso só acontece quando há desejo por essa descoberta. Qual foi a conduta, o ato, a birra, a teimosia, enfim, qual foi a postura que adotamos diante da vida cuja consequência é a experiência que estamos vivenciando agora? Perceba que você pediu para viver essa situação, por meio de seu poder pessoal, com o objetivo, consciente ou inconsciente, de crescer. A culpa não é de ninguém. Não pode ser, não deve ser; não é honesto, não é justo transferir a culpa para terceiros, quartos ou quintos. Não há culpados, aliás. Você está vivendo o que vive como processo pedagógico, como consequência do que quer e necessita ser e dos desvios que tomou no caminho.

Epíteto, filósofo romano, dizia que a extinção da culpa marca o início do progresso moral. As coisas são uma consequência natural das causas que você gerou livremente. Tudo segue uma cadeia. Toda ideia, todo pensamento, todo sentimento gera efeitos. E ainda há a seguinte frase de Albert Einstein, a qual faço questão de registrar: "Dadas as mesmas causas, os mesmos resultados advirão". "Quero que minha vida mude", você pode dizer, mas o que tem feito para que isso aconteça? As mesmas coisas de sempre? Então a consequência também será a mesma.

Sempre que comemoramos o Ano-Novo, naquela festa de *réveillon* (do francês *se réveiller*, despertar) cheia de alegria, brindamos e refazemos nossos projetos para o ano que se está iniciando, mas continuamos agindo da mesma forma como fazíamos no ano velho. Não geramos causas, não atuamos sobre elas: alimentamos apenas uma fé supersticiosa em efeitos que, esperamos, caiam do nada, que é nossa ideia de "sorte". O que é sorte? Acreditamos, então, que coelhos saem de cartolas? Se não for colocado um coelho na cartola antes de o *show* começar, não vai sair nada... Bem, isso é uma expectativa fanática e ilusória; pois saem coelhos de onde você colocou coelhos. Assim, as mesmas causas resultarão nos mesmos efeitos.

"Nada escapa ao Princípio de Causa e Efeito, mas existem vários planos de causalidade, e podemos empregar as leis do plano superior para vencer as leis do inferior", lê-se em *O Caibalion*. Ou seja: mudar posturas mentais (plano superior) pode ser bem eficaz para amenizar os efeitos de um karma físico ou emocional (planos inferiores), por exemplo, repetidos envolvimentos em relacionamentos abusivos e outras situações tanto dolorosas quanto evitáveis.

## Capítulo XII

> O Gênero como Pai/Mãe do Universo em Todos os Planos. A Responsabilidade Sobre Aquilo Que Geramos

**VII – O Princípio do Gênero**
"O gênero está em tudo; tudo tem seu princípio masculino e seu princípio feminino; o gênero se manifesta em todos os planos."

Etimologicamente, "gênero" vem do latim *generare*, que significa gerar, dar nascimento a tudo que existe nos três planos do Universo (*nous*, psiquê e soma). Gênero não tem a ver apenas com sexo; só quando projetado em um corpo físico

# ANATOMIA DA FLOR

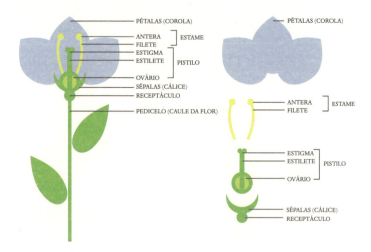

Ilustração da anatomia e do sistema reprodutivo de uma flor.

de seres humanos, animais ou vegetais haverá esse reflexo. O gênero também pode estar nos planos emocional e mental. Por exemplo, duas ideias combinam-se e geram uma síntese (dialética hegeliana); duas emoções combinam-se e geram uma consequência; o Yin e o Yang (Tao) são uma demonstração do Princípio do Gênero. Tudo o que se gera na manifestação foi criado dessa forma. Gênero significa gerar no plano físico, procriar no plano mental ou criar no plano espiritual. Infelizmente, ainda não reconhecemos o gênero em todos os planos.

*Adão e Eva*, de Claude Marie Dubufe (1790-1864), óleo sobre tela, 1827. Museu de Belas Artes de Nantes, França.

O Princípio do Gênero permite que você seja original, capaz de captar ideias novas no plano das ideias e de trazê-las ao mundo em primeira mão; de gerar novas combinações de ideias antigas no plano mental; que gere novos corpos físicos no plano físico. Mas, ressalte-se, ninguém cria nada novo se não souber lançar mão do Princípio do Gênero de forma correta. Nenhuma criação é possível sem esse Princípio. Temos mais conhecimento de sua aplicação no plano físico. No plano mental, ele lembra o Princípio do Mentalismo: geramos na mente aquilo que virá à luz no plano físico.

Quando se trata do plano energético/material, a Ciência de nosso tempo já comprovou, por exemplo, que o Elétron (feminino) é o mais ativo trabalhador do campo energético (é o feminino que gera luz, calor, eletricidade, magnetismo etc.). O masculino coloca em atividade o processo criativo, e o feminino o desenvolve sozinho, a partir daí, em todos os planos. Um não age sem o outro. O gênero está ativo até mesmo na matéria inorgânica e em campos de energia e força, por exemplo, na atração e repulsão de átomos e moléculas.

Salvo engano, essa ideia segundo a qual esse princípio também age sobre a matéria inorgânica guarda uma dose de simbolismo bem digna de nota, pois trata-se do mesmo mecanismo do gênero atuando em um campo em que, para os parâmetros atuais, não há vida, uma vez que esta se limita ao campo orgânico/celular. Isso fornece elementos para profundas reflexões.

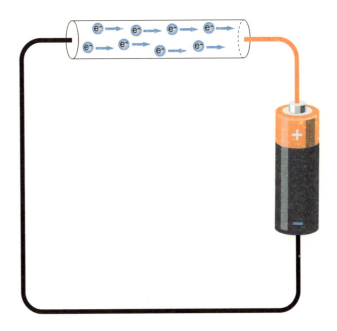

Elétrons em movimento ordenados em um circuito elétrico.

## Capítulo XIII

> O Gênero Mental: A Fresta por Onde Sempre Somos Manipulados; Como se Proteger

Você sabia que nossa mente possui duas polaridades, masculina e feminina? Uma parte da nossa mente, a masculina, capta as "sementes" de algo novo: um *flash* do novo, uma potencialidade. A outra parte, a feminina, acolhe esse *flash* e dá a ele um berço, onde é alimentado e tratado, até que possa tomar corpo suficiente para vir ao mundo como uma ideia completa e viável. Se você deseja criar algo novo, precisa estar atento a essa forma de "dualismo". Se uma das etapas não funciona bem, sua capacidade criativa se perde.

Para quem já leu *Minhas Invenções*,[31] a autobiografia de Nikola Tesla, sabe que esse inventor tão genial vivia em meio a *flashes* praticamente contínuos. Muitos deles, lamentavelmente, se perderam como consequência de uma combinação em sua vida de uma circunstância histórica árida com a falta de diplomacia para lidar com interesses alheios. Mas esse foi o problema do gênio. O problema do homem comum costuma ser de outra natureza.

O próprio *O Caibalion* mostra esse problema do homem comum com um exemplo bem interessante e claro. Talvez você já tenha ouvido falar sobre um pássaro chamado em nossas terras de cuco e sobre seus estranhos hábitos de procriação. Espertamente, esse pássaro vai até o ninho de outro pássaro que contém ovos, tira-os de lá e deposita no local seus próprios ovos, para que outros passarinhos os choquem. Curioso, não? Como ele não é um pássaro muito pequeno, a situação pode se tornar até um tanto cômica: um pequeno pássaro choca aqueles grandes ovos e, quando os filhotes nascem, são grandes, maiores que o pássaro que os chocou. Mas, por tê-los chocado, ele não tem nenhuma dúvida de que os pequenos animais que deles saíram são seus: alimenta-os e cuida deles até que levantem voo...

O mesmo ocorre conosco: nossa mente masculina,[32] aquela do *flash*, funciona pouco, é inerte e conformada com o que já

---

[31] São Paulo: Editora da Unesp, 2012.
[32] Trata-se aqui da mente masculina, e não da mente de um homem! Todos, de ambos os sexos, a temos!

está aí. Assim, surge um ideólogo oportunista, defendendo causas e ideias, em geral espúrias e carregadas de interesses pessoais, joga essas ideias em nossa mente feminina e some, vai para o outro lado do planeta. E nós ficamos cuidando e desenvolvendo nosso exótico e grotesco cuco. Quando ele quebra a casca e vem à luz, não temos dúvida: "É meu! Venho cultivando essa ideia há muito tempo!". Jamais nos perguntamos: "Quem é o pai?", "Em que momento surgiu isso na minha cabeça?", "Fui eu mesmo quem desenvolveu essa semente, esse *flash*?", "Se não, quem o fez?". Essa especulação tão "metafísica" está muito distante dos nossos hábitos comuns: saiu da minha cabeça, é meu e pronto. E assim somos manipulados de todas as formas.

Quando entendemos o processo de "inseminação artificial de ideias" em nossa mente, vemos que essas sementes se insinuam de todos os lados: nas conversas, na mídia escrita e falada, nos *outdoors*... Quando tomamos consciência (ou melhor: se tomamos consciência), aprendemos, enfim, a nos defender da tentativa insidiosa de manipulação. Há que se perguntar, com honestidade: "Quais entre as ideias que estão em minha mente são realmente minhas, fruto de observação e reflexão próprias?".

Dizem que o homem é uma sintaxe da Natureza: tudo o que acontece em algum lugar da Natureza acontece no homem, porque é como se ele fosse um produto final, onde tudo que foi experimentado e deu certo é utilizado. Platão falava sobre isso em seu diálogo *A República*. Teilhard de Chardin[33] também o explica: a natureza sintetiza tudo o que foi experimentado na criação humana; até a reprodução dos cucos. Assim, inconscientes, desativamos a mente masculina e carregamos conosco, *ad infinitum*, o ovo de cuco.

A consciência é capaz de reconhecer em si o "Ego" e o "Eu", nomes utilizados em *O Caibalion* para distinguir as mentes feminina e masculina. Como já explicamos, o Ego seria a matriz mental feminina que desenvolveria projetos de todos os tipos. O Eu seria o masculino e projetaria ideias para que o feminino as desenvolvesse e criasse (estado, fecundação). Mas a maioria das pessoas, guiadas pelo coletivo (inertes, vagarosas, com pouco uso da vontade), são quase totalmente dirigidas por mentes alheias, apesar de inconscientes disso e plenas de "fundamentações" para explicar o suposto pensamento próprio.

Imagine alguém que desperte para a vida em um trem em movimento. Não lembra como chegou ali, mas percebe que a viagem será longa. Para emitir um juízo sobre o mundo no qual acaba de despertar, essa pessoa tem duas opções: ou coloca a cabeça para fora da janela para ver como as coisas são em si, livres de qualquer moldura (ainda que isso, em alguns momentos históricos, tenha feito com que alguns perdessem a cabeça), ou

---

[33] Pierre Teilhard de Chardin (1881-1955) foi teólogo, paleontólogo e filósofo francês que buscou conciliar ciência e teologia em uma só visão filosófica.

se acomoda com a limitação de ver o mundo "emoldurado" pelo modelo de janela ali presente.

Hoje, as janelas do trem são quadradas: "Ora, quem teria dúvida sobre como é o mundo? Basta ver e constatar, olhe lá: o mundo é quadrado!". Porém, depois de algum tempo, os "amos do trem", seus donos ou gerentes, resolvem mudar o formato das janelas para triangular. Em pouco tempo, nosso arrogante e pretensioso amiguinho dirá: "Fui um dos primeiros a questionar aquela primitiva crendice popular de que o mundo era quadrado e a perceber que o mundo é, de fato, triangular. Poucos intelectuais como eu foram capazes de, depois de exaustivas leituras e estudos, chegar tão rapidamente a essa óbvia constatação, que hoje compartilho com todos!". Amanhã, as janelas serão redondas; semana que vem, trapezoidais. E nosso tão "intelectual e erudito" amigo sempre terá explicações para sua mudança de opinião, opinião essa que partiu, é claro, dele, e não do meio. Sua vaidade sempre lhe impedirá de ver que não está pensando: está "sendo pensado", está até mesmo "sendo vivido', sem nenhuma experiência própria que dê algum sentido à sua vida e sem nenhuma possibilidade de aprendizado real e, consequentemente, sem o desenvolvimento de uma inteligência real.

Platão já dizia que o maior impedimento para a sabedoria é achar que já se sabe. E quão numerosos são esses, condenados a serem "ninhos de cuco" eternamente! E mais lamentáveis ainda são os que, impressionados pelo pomposo jogo de palavras vazias e citações bibliográficas abundantes, seguem esses homens condenados, creem neles e encaram-nos como uma meta a ser atingida... Por isso, todo cuidado é pouco! Quais são as ideias que você não só desenvolveu, mas também criou? Quais dos seus pensamentos são realmente seus? Quais das suas "criações" são realmente suas? Esse é o mecanismo mais comum usado para a indução e a manipulação. Como quem não quer nada: plim!, uma ideiazinha surge! Você a abraça, a desenvolve e faz com que pareça sua. Mas, no fundo, está apenas chocando ovos de cuco. Isso é muito mais comum do que imaginamos; muito mais comum, infelizmente, do que o ato de gerar ideias próprias.

Gravem bem isso: o tão malfadado sugestionamento (também conhecido como manipulação) é apenas uma aplicação do gênero mental. Nossa sociedade, por exemplo, está repleta de pessoas que têm opiniões políticas, de gente com sentimentos de ódio por uns e paixão por outros – personagens do âmbito privado e público são os alvos. Mas esse ódio e essa paixão não são dessas pessoas. Não há razão para assim se comportarem, porque não pensam daquela forma, porque não houve reflexão própria. Desenvolveram pensamentos insuflados pelo coletivo.

Percebem quão poucas das nossas ideias são nossas, quão poucos dos nossos sentimentos são, de fato, nossos? E as enormes perdas que sofremos por causa disso? Nos afastamos até

Imagem de representação do controle e da manipulação que a mídia impõe, de forma geral, às pessoas.

daqueles a quem realmente amamos, correndo atrás de uma ficção de ódio ou de paixão!

Isso me traz à memória um episódio da minha infância, quando eu já residia em Brasília. Um episódio risível, mas que teve grande valor pedagógico para mim, razão pela qual vou compartilhá-lo com vocês: eu contava com meus 10 anos de idade e, certo dia, fui caminhando para a escola em que estudava. Chegando lá, para minha surpresa, encontrei os portões fechados. Não havia aula naquele dia por causa do falecimento de Juscelino Kubitschek, ex-presidente do Brasil, fundador de Brasília. Voltando para casa, encontrei um coleguinha que também cursava a quinta série, como eu, e que caminhava para a aula saltitante, com pastinha e lancheira; eu o parei e disse: "Olha, não vai ter aula hoje". Ele me olhou surpreso e perguntou: "Por que não vai ter aula?". Ao que respondi: "Ué, porque morreu Juscelino Kubitschek". Lembro-me bem do arregalar dos olhos do menino e da sua tristeza subsequente. Sua cabeça tombou na direção do peito, e ele fez silêncio por alguns instantes: puro abatimento. De repente, levantou o rosto e, súbito, perguntou para mim: "Ele era da quinta série?".

Esse acontecimento se tornou um ícone para mim: toda vez que vejo uma pessoa demonstrando rejeição, paixão, ódio por personagens sobre os quais não sabe nada nem se interessa em saber, mas apenas porque segue a onda dos ódios e das paixões coletivos, eu me lembro do "Juscelino da quinta série". Não se sabe nem do que se trata, qual é a fundamentação, e não se sente realmente nada em relação àquilo. Usamos os sentimentos e os pensamentos como mera fonte de entretenimento: nenhum deles é nosso, nem queremos saber de quem são. É só uma espécie de chantili usado para dar mais sabor e colorido à vida. No entanto, pensamentos e sentimentos não são brincadeiras! Se você brinca com os sentimentos, nunca os terá, serão sempre emoções superficiais. E, se brinca com os pensamentos, nunca terá qualquer identidade; será uma espécie de "fantoche" guiado por interesses em geral espúrios, pois não acredito em manipuladores bem-intencionados. Será vivido em vez de viver.

Não posso deixar de sentir uma terrível nostalgia quando penso naqueles homens que amavam as ideias e dedicavam a vida a elas; aqueles gregos, apoiados em suas *klines*, que perscrutavam as ideias por trás das sombras e, ao encontrá-las, sentiam-se plenos e se comprometiam com elas por si e pela humanidade... Eles não eram ficção; eram mais reais que nós! Onde se encontram agora?

Uma boa sugestão: procure-os dentro de você, fazendo a si mesmo algumas perguntas: O que você realmente ama? O que lhe provoca dor verdadeira? O que realmente pensa e sente sobre os outros seres humanos? Você refletiu sobre isso? Criou isso? Em caso negativo, você só possui metade da mente ativa, e olhe lá! Em você, o Princípio da Geração não funcionou ainda. Você não criou nada, não criou a si mesmo; não gerou vida, nem a sua própria. Nenhuma ideia sua é realmente sua. E, assim, você não tem como realizar sua identidade, dar o seu recado ao mundo, dizer a que veio. Porém, se quiser, você tem todas as condições de virar o jogo e começar a viver de fato: tome nas mãos as rédeas da sua vida o quanto antes!

Isso só é possível quando você cria sua própria identidade, quando "fecunda" sua própria mente. Entende essa ideia? Isso ficou como um marco, como um símbolo para mim: sentimentos e pensamentos coletivos são o "Juscelino da quinta série", porque realmente é assim que funciona: pouco temos de autêntico; muito pouco temos para comunicar ao mundo daquilo que viemos dizer: nossa verdadeira identidade.

# Capítulo XIV

## Axiomas Herméticos: O Conhecimento é Destinado ao Uso

Existe uma recomendação final em *O Caibalion* que eu considero muito bela e forte, outra forma de dizer a mesma frase expressa por Helena Blavatsky na obra *A Doutrina Secreta*: "Honrai as verdades com a prática". A citação de *O Caibalion* é:

"Guardai-vos da avareza mental e expressai em ação aquilo que aprendestes. Estudai os axiomas e aforismos, mas praticai-os também. Só acessaremos a sabedoria do Todo quando nos integrarmos a ele. O conhecimento é, assim como a riqueza, destinado ao uso. A lei do uso é universal, e aquele que viola essa lei sofre por causa do seu conflito com as forças naturais".

Ou seja, conhecimento gera compromisso. Se você não quer se comprometer com a vida, com a humanidade, com sua própria vida, não queira conhecer... É melhor não saber. Imagine a seguinte situação: você sabe nadar, passa por uma piscina e há uma pessoa se afogando: você tem a responsabilidade de ajudar aquela pessoa, porque sabe nadar. Caso opte por omitir-se, você pode até mesmo ser acusado criminalmente por omissão de socorro. Agora, se você não sabe nem mesmo boiar, não tem como ser cobrado por não pular na piscina, uma vez que, caso o fizesse, seriam dois se afogando, e isso não faria o menor sentido. Enfim: para os egoístas, a sabedoria não é uma boa alternativa.

Reitero uma frase que é de suma importância: conhecimento gera compromisso. E, se você quer o conhecimento, queira o compromisso. Conhecimento sem compromisso é vaidade e arrogância vazia, pois significa que a pessoa, na verdade, não sabe nada. Você jamais conhece de fato as coisas antes de se comprometer com elas e vivê-las. Já enunciava o dito bíblico: "Por vossas obras, vos conhecerei". Por vossas obras, e não por vossos rótulos e títulos! Sei o que você é e o que sabe pelas respostas práticas que dá à vida, a cada dia.

E essa máxima é a maior advertência que Hermes Trismegisto deixa para as gerações futuras: "Cuidai-vos de não viver aquilo que conheces". E a de outro grande mestre de outra grandiosa tradição, a Vedanta Advaita* indiana, Shankaracharya,[34] que no maravilhoso livro *Viveka-Chudamani: A Joia Suprema da Sabedoria*, enunciava de maneira até jocosa: "Um medicamento não surte efeito apenas pronunciando seu nome: há que ingeri-lo!". Ainda me divirto ao imaginar alguém com forte cefaleia, lendo em voz alta a bula de seu medicamento, com toda nomenclatura complexa dos componentes, imaginando ser curado com esse procedimento. Essa insólita cena não é menos incomum do que aquela outra que nos oferece o intelectualismo vazio, pronunciando nomes sem vivê-los. Só que já não rimos dessa situação: admiramo-nos da oratória de seus portadores e, não raro, passamos a admirá-los como se muito especiais fossem.

Voltando a *O Caibalion* como um todo, estes são os elementos para que conheçam um pouco do que trata essa pequena obra, com suas sete breves frases, oriundas, direta ou indiretamente, de Hermes Trismegistos, que pretendem explicar, de forma simples e acessível, o maior dos mistérios: como o Universo manifestado se organiza e como o profundo conhecimento dele nos permite entender as leis gerais com as quais interagimos naquilo que chamamos de Vida. O Universo seria, todo ele,

---

* Vedanta Advaita é uma das escolas filosóficas do pensamento hinduísta que tem como um dos pilares a unidade da existência. (N. do E.)
[34] Shankaracharya foi metafísico, teólogo, monge errante e mestre espiritual indiano, além do principal criador da doutrina do Vedanta Advaita, ou Vedânta não dualista.

interligado por leis, conectado por uma lógica, organizado pela inteligência, movimentado pela vontade, unido pelo amor. Não há espaço para o acaso, e essa simples constatação já revoluciona nosso posicionamento enquanto estamos vivendo.

Desenvolvendo essa ideia, percebemos que não existe caos no Universo e que ele não é desejável. Um matemático chamado Henri Poincaré dizia: "O acaso nada mais é do que a medida da nossa ignorância". Essa alegação também é muito hermética. Dizemos ser "casual" aquilo que não entendemos. Mas ali atuam leis que ainda não ousamos conhecer ou que não somos capazes de conhecer. E, à medida que vamos conhecendo essas leis, passamos a nos comprometer com elas: este é o preço.

Acredito que, como síntese final das leis, seria muito bom deixarmos as seguintes ideias para reflexão:

"A verdadeira Transmutação Hermética é uma Arte Mental."

"O Todo é Mente; o Universo é Mental."

Evidentemente, se o mundo é mental, mudá-lo é mudar a mente; esse é o verdadeiro milagre e prodígio que *O Caibalion* propõe como tarefa possível e necessária para o ser humano, para cada um de nós.

Pintura de Thoth (o deus egípcio da sabedoria na forma humana, com cabeça de íbis), em um mural. Templo de Seti I, Abydos, Egito, 19ª Dinastia, cerca de 1280 a.C.

# Conclusão

Para além de todas as colocações feitas neste pequeno manual, gostaria de concluir deixando alguns conselhos ao possível leitor desta breve e despretensiosa obra, como também para a leitura do livro sobre o qual ela trata, *O Caibalion*.

As críticas que recebi quando comecei a falar sobre *O Caibalion*, por exemplo, fizeram-me refletir longamente acerca desses obstáculos, dessas rejeições e desvalorizações da obra (em geral, por parte de pessoas que nem sequer chegaram a lê-la), as quais você provavelmente também enfrentará, caso resolva se lançar à leitura.

Senão, vejamos: parece inadmissível que o livro apresente cópias explícitas de trechos de obras egípcias, mas, sim, de reflexões sobre elas. A ideia da obrigatoriedade de referenciar tudo o que é abordado, tão presente no campo filosófico, leva a algumas questões de difícil solução. Quando se trata de uma terapêutica, seja ela no campo físico ou no campo psicológico, existe uma base de verificação bem clara: o bem-estar progressivo do paciente. Ainda que seja absolutamente original, uma terapia que, após testada, proporciona, sem dúvida, melhora nas condições do doente sem causar efeitos colaterais significativos estará comprovada e deve ser aceita.

Porém, todos sabemos que, com as pressões exercidas pelos dogmas imperantes durante a Idade Média, a Filosofia viu-se coagida a recolher-se do ofício de "arte de viver", missão tão significativa que desempenhara no período clássico. Passou a limitar-se à mera problematização no campo teórico e não encontrou mais o caminho de volta. A partir desse quadro, percebemos que não há campo de verificação para a Filosofia. Alguém que expresse uma ideia própria muitas vezes é criticado por não referenciar uma fonte anterior. Bem, mas o que fez essa fonte? Apenas referenciou o que veio antes ou celebrizou-se exatamente por possuir ideias próprias?

Mesmo os mais célebres pensadores da história, aqueles com ideias com estrutura lógica e coerência interna indiscutíveis, não possuem campo de verificação de seus pensamentos. Se houvesse alguma referência do que vem a ser saúde moral e intelectual, assim como há para a saúde física e psíquica, poderíamos avaliar, com certa dose de precisão, quais foram aqueles cujo pensamento trouxe algum ganho à humanidade. Sem esse critério, ficaria difícil determinar a diferença de qualidade entre o "filosofar" nas cadeiras dos bares aos fins de semana, sobretudo após o terceiro copo, e filosofar nos bancos da academia.

Seria exatamente a academia que garante a qualidade dos "produtos" que dela partem? É um pensamento dificilmente defensável, uma vez que, com um simples critério estatístico, podemos verificar facilmente que a maioria dos pensadores mais originais da história não passaram por esse tipo de formação (em alguns casos, até mesmo porque isso nem mesmo existia em seu tempo). E, se a resposta para essa pergunta fosse "sim", haveria que identificar que tipo de procedimento está presente no aparato acadêmico que estimula seus educandos a pensarem mais frequentemente e com mais profundidade que o "ser humano comum" sobre as grandes questões da vida, e os frutos dessa tão especial formação seriam integrantes de alto relevo no quadro social por sua participação original e criativa na sugestão de novos e melhores caminhos...

Afora isso, temos apenas ideias, sem maior ou menor *status* de realidade ou veracidade. E, se o critério é referenciar o anterior, chegaremos ao Neandertal, sem grandes ganhos para quem usufrui dessa enorme rede de referências.

Cheguei a veicular uma palestra a respeito das críticas que recebi por divulgar as ideias de *O Caibalion* denominada "As sete leis do *Caibalion* vistas de minha janela", na qual demonstro, por intermédio de uma boa série de exemplos práticos, como observo essas sete leis em elementos simples da vida, como a mudança de humor das crianças que jogam futebol na rua e a chuva que cai, entre outros. São dados de base não manipuláveis, e a reflexão sobre eles é simples e dificilmente falseável, pois os exemplos descritos compreendem acontecimentos reais, que podem ser verificados por qualquer pessoa.

Portanto, concluo com a simples e indiscutível constatação de que um pensador relevante é aquele que pensa por si próprio, com boa dose de coerência entre premissas e conclusões, com profundidade suficiente para extrair camadas mais profundas dessa realidade que, visível a todos, é observada detidamente por poucos. E, por último, mas não menos importante, que tal pensador é capaz de gerar um pensamento estruturado o bastante para mudar a própria postura e suas respostas aos incidentes da vida, deixando um rastro mais "humano" no mundo e demonstrando àqueles que o sucedem que isso é possível.

Se você é capaz de usar esses critérios, será referência para si próprio. Seu posicionamento é libertador, pois mostra que não necessitamos de chancelas de nenhuma ordem para pensar. E, se o fazemos, sem nos arrogarmos donos de nenhuma verdade, sem nos apoiarmos em sistemas dogmáticos de crenças e com verdadeiro ânimo de aprendizado constante, acabaremos por gerar referência para outros, devolvendo a qualquer ser humano o direito de pensar sobre a vida e seus mistérios e de aperfeiçoar-se como ser humano ao testar, na própria vida, cada ideia ética e humanamente consistente que chega a ser capaz de conceber. Boa reflexão a todos!

# Perguntas e Respostas

Por fim, gostaria de agregar aqui algumas das perguntas e respostas com as quais me confrontei ao longo dos anos durante os quais venho transmitindo esses ensinamentos em formato de conferência, por acreditar que, nessa forma muda que é a linguagem escrita, algo se soma à oralidade, mas também se subtrai. Essas questões talvez venham ao encontro de pendências que ficaram presas para alguns dos leitores nas entrelinhas desta pequena e despretensiosa obra. Espero que lhes sejam úteis.

**Pergunta:** Você falou sobre determinadas debilidades... Existem coisas que, muitas vezes, nos prostram, e damos atenção a elas. É como no exemplo das crianças brigando pelo ursinho, se alguém entrar no mesmo nível delas e começar a puxar o ursinho também. Mas, se tudo é criado por nós (acredito nisso também), quando não descobrimos a causa de algo que nos faz sofrer, por exemplo, uma enxaqueca, vamos ser afetados por ela e nos prostrar, certamente, e teremos dificuldade para sair daquela situação. Pergunto: isso acontece porque estou dando atenção demais à enxaqueca? O exemplo que trago é bastante físico, mas quero me referir aqui a qualquer outra coisa que possa nos debilitar.

**Resposta:** O que está prostrando você? Cada caso é um caso. Quando você tem um mal físico, por exemplo, uma enxaqueca, que é uma dor intensa, não há muito o que filosofar enquanto ela estiver agindo; trata-se realmente de procurar um médico. Mas, saindo do ciclo da dor, você pode tentar entender quais são os gatilhos que levam você a desenvolver os sintomas da enxaqueca. Às vezes, antes da dor física, há o gatilho de uma lembrança desagradável, ou a mágoa de alguém que nos feriu muito... Sem que percebamos, esse é o apego que nos prende ao "grau do ursinho" e aciona as reações que pertencem a esse patamar.

Conheço várias pessoas que sofrem de enxaqueca, e algumas já chegaram a essa conclusão: há formas mentais, emoções que funcionam como gatilhos para a manifestação da enxaqueca. Aprendi a lidar com essa questão. Quando os sintomas começam a se aproximar, vejo onde minhas formas mentais estão focadas. Às vezes, mesmo com a dor já se avizinhando, ao mudar completamente o ciclo da minha atenção ligando uma música, falando de coisas boas, sorrindo, consigo neutralizar a crise. A medicina ayurvédica indiana e a medicina chinesa são especialistas nisso. Mas mesmo o Ocidente já vislumbra essa abordagem ao tratar das doenças psicossomáticas.

No nível psíquico, essas formas emocionais doentias surgem todas as vezes que nos vemos diante de certos obstáculos com os quais não sabemos ou não soubemos lidar. E a resposta é sempre essa: no meio da crise, há que apenas sobreviver, agindo o mínimo possível, pois fazê-lo acarretará em erros. Se você está colérico, já perdeu o controle: não será possível filosofar. Apenas procure conter-se e voltar ao centro; isso exige bom treinamento: "Neste estado emocional, não atuo nem tomo decisões". Mas amanhã, quando a cólera passar, dará para refletir e procurar descobrir a razão por que esse objeto convoca tanta cólera em você. E quem sabe, com a cabeça fria, será possível chegar a uma resposta que mostre sua parcela de erro, sua parte de responsabilidade, por ação ou omissão, e assim liberte o outro de todo esse peso e o deixe ir. Assim, vamos desatando os nós que nos prendem ao ursinho: a vida vai ficando fluida, redimida do arbítrio e da injustiça, e, onde quer que nossa consciência pouse, no presente ou no passado, ela poderá ficar em paz. Enfim: soltamos as amarras, os nós, os gatilhos, e estamos em harmonia. Mas não se esqueça: isso deve ser praticado nas pequenas coisas do dia a dia, e não apenas diante de uma crise. O bom guerreiro não treina apenas no dia da batalha. Às vezes, pensamos: "Não sei por que vivemos certas coisas". Segundo o hermetismo, é muito simples: vivemos certas coisas porque precisamos vivê-las para crescer. Chamamos determinados acontecimentos para nossa vida porque temos a necessidade de lidar com eles para superá--los e sermos capazes de prosseguir e avançar em nosso caminho. Chamamos essas situações, embora inconscientes disso. Há uma frase do Zen-budismo que diz: "A brecha da desatenção é onde corta o fio da espada".

Esses eventos são, na realidade, uma representação externa de algo que precisamos ver dentro de nós. Se fizermos essa síntese, superaremos a questão de forma bem mais rápida. Vejam que interessante: segundo a medicina de Seraphis, deus egípcio da saúde[35] (que, mais tarde, foi levado para a Grécia), todos os pacientes deviam ser levados à fonte do deus, onde bebiam das águas e ali dormiam. À noite, sonhavam com as causas do seu mal em planos internos, sutis, mentais e emocionais. Se não o faziam, não recebiam o medicamento. A explicação é que, se não

---

[35] Seraphis ou Serapis foi uma divindade sincrética helenístico-egípcia da Antiguidade Clássica. Seu templo mais célebre localizava-se em Alexandria, no Egito. Seu nome resulta da fusão do nome de duas outras divindades: Osíris e Ápis. Era deus da cura e, aparentado com Hades, dos mistérios.

vamos às causas e atuamos, não adianta medicar os efeitos que se refletem em algum órgão, pois este é apenas um ponto, um órgão de impacto de um mal que vem de dentro e de cima. Se não se atua aí, na origem, aquelas causas vão impactar outro lugar e gerar outro mal. Elas precisam ser conhecidas e tratadas.

**Pergunta:** Sobre a questão do gênero mental abordada: Qual é a relação entre os sentimentos e pensamentos não autênticos com o masculino e o feminino no plano mental?

**Resposta:** Pensamentos e sentimentos não autênticos são sementes de alguém que as colocou na sua mente. As sementes não são suas. Mas, se você trabalhou para o desenvolvimento delas, adubou-as e fertilizou-as, quando a planta nascer, você dirá: "É meu filho". Não, não é! Quem colocou a sementinha lá não foi você. O masculino é a sementinha, tanto no plano mental como no emocional. E o feminino é o útero que desenvolve, que dá vida, que alimenta e dá à luz aquele novo ser. Mas quem pôs a sementinha ali? Às vezes, uma pessoa passa por você e, em minutos, consegue infiltrar-lhe um sentimento ruim, um pensamento negativo. Depois, você passa dois, três dias elaborando aquela ideia sem perceber que ela partiu daquela fagulha. Pode ser uma pequena crítica, uma maldadezinha. E você passa uma semana com raiva. Uma sementinha! E você pensa: "Fui eu". Não foi você! Você só alimentou. A semente não é sua. Ou seja: o masculino e o feminino, em pensamentos e sentimentos autênticos ou não, trata da ideia, ou da semente, por um lado, e da sua nutrição e seu desenvolvimento, por outro.

**Pergunta:** Existem teóricos que dizem que a nossa civilização está passando de um modelo neurótico para um psicótico de relacionamento, e que a lei depende do prisma de quem vê. O que você acha disso?

**Resposta:** Acho essa hipótese possível, porque vivemos uma tendência à relativização de tudo. Hoje, é muito difícil falar de alguns assuntos, por exemplo, de Egito, sem que haja uma pessoa ou outra que diga algo como: "Eram só os egípcios que pensavam assim. Isso é relativo. Para mim, não vale!". O desconhecimento de leis gerais, de princípios gerais válidos para todo o humano (tudo hoje é interpretado por meio da subjetividade, com suas inclinações), torna impossível que o ser humano aprenda com o passado. Nós aprendemos do passado a construir aviões, automóveis, prédios, mas consideramos que esse princípio não é válido para a construção de homens e mulheres. Achamos que podemos fazer nossa vida sozinhos, e que aquilo que foi bom para Hermes Trismegisto já não é bom para mim. Tudo é relativo...

Eu comentava com meus alunos, um dia desses, sobre uma pessoa que, após participar de uma palestra minha sobre as virtudes do herói, disse: "Essas virtudes de que você fala, honestidade, bondade e outras, são muito relativas. A ciência já provou que até a Lei da Gravidade é relativa perto de um buraco negro". Com toda a calma, expliquei a ela: "Não sou um buraco negro; sou um ser humano, e a Lei da Gravidade é bem absoluta para mim; tenho essa janela aqui à minha disposição para qualquer experimento prático que eu queira fazer". O único ser que pode dizer "tudo é relativo" é o Absoluto! Para nós, que também somos relativos, todas as coisas que também estão no nosso patamar de relatividade são bem reais e concretas, e devem ser consideradas e respeitadas como tais, para que, algum dia, possamos superá-las. É um raciocínio simples, mas difícil de ser exposto e compreendido por nossos contemporâneos.

"Não sois máquinas, homens é o que sois", como dizia Chaplin, no clássico filme *Tempos Modernos*. Então, como homens, há leis que, para nós, são gerais e válidas. Da mesma maneira que os princípios da aerodinâmica são válidos para uma nave espacial e para um automóvel doméstico, os princípios herméticos são válidos para um ser humano, pois apontam os melhores caminhos para construir o homem.

Carl Jung deixou uma frase muito interessante sobre isso: "É mais fácil partir do zero e construir uma nave que te leve à Lua do que partir do zero e construir um conhecimento que te leve ao interior de si mesmo". Há excessiva relativização dos valores humanos. Todo mundo quer aprender tudo: para consertar um televisor, é necessário um curso técnico; para construir um aparelho, faz-se um curso superior; mas, para construir a própria vida, um menino de 12 anos acha que sabe tudo e não aceita palpite de ninguém. Como isso poderia dar certo?

Assim, torna-se muito complexo fazer uma construção humana, porque, sem aprender da sabedoria do passado, o ser humano terá que começar do zero, como se todas as manhãs ele acordasse com amnésia e tivesse que construir sua vida em um dia, sem considerar tudo o que foi vivido anteriormente: todo patrimônio humano seria perdido. É como se nossas gerações fossem assim: amanhecessem todas com amnésia e começassem sempre do zero. Lidamos com certos elementos, talvez já com alguma experiência de vida, que poderiam ser herdados, mas nós, com toda ignorância e petulância, começamos sempre do zero, com uma animalidade e uma brutalidade que já deveriam ter sido superadas; porém, continuamos sempre despertando no mesmo ponto. Invente novamente, em um dia, toda a sabedoria de um Sócrates, de um Platão e de um Aristóteles, toda a arte de viver de um Sêneca, de um Epíteto e de um Marco Aurélio, e muito, muito mais. Faça sozinho e rápido:

não se pode aprender do passado, e, amanhã, você também será passado!

Isso é um fato: estamos vivenciando uma sociedade doente, pois tudo gira à volta de cada um, com suas opiniões tomadas como verdades absolutas, e todas as coisas negativas são feitas para atingi-lo, particularmente; tudo tem a ver com o pessoal; tudo é pessoal, nada é universal. Não somos capazes de ver ou entender nada que se refira à humanidade como um todo. Esse comportamento é uma excentricidade! Lembre-se do Princípio da Polaridade: é a perda do centro; uma excentricidade que faz o pêndulo vibrar tanto que perde o contato com o centro, que consiste em identidade, valores humanos, virtudes. É um tipo de patologia quase coletiva no nosso momento histórico.

**Pergunta:** Você vê isso como arquitetado por uma entidade ou algo assim?

**Resposta:** Não, não acredito em teorias da conspiração. Vejo a necessidade de experiência dos seres humanos; vão ter de sofrer um pouquinho para ver se despertam. Nietzsche, em um livro chamado *A Genealogia da Moral*, diz que a natureza só tem duas maneiras de fazer você aprender alguma coisa necessária: ou pela reflexão, que você pode fazer, se quiser, ou por meio da dor. A dor é uma forma de gravar com ferro e fogo as verdades da natureza que você se recusa a ver. As necessidades de experiências do ser humano escrevem a história: se você precisa vivenciar um materialismo grosseiro, vai ter que vivê-lo; como poderíamos evitar isso? Aquelas pessoas um pouco mais maduras, às vezes, percebem isso em relação aos próprios filhos. A mãe chega com a filha em uma festa, dá uma olhada ao redor e diz: "Ih, minha filha vai se interessar por aquele rapazinho ali e vai se dar mal". Ela praticamente ainda nem saiu do carro, mas possui algum conhecimento da natureza humana, bem previsível nesse nível, o que lhe permite perceber as "cabeçadas" que a filha necessariamente vai ter que dar para crescer.

Imagine um sábio olhando para a humanidade e dizendo algo parecido com isso: "Ih, com esses gostos, com esse egoísmo, vai ter que sofrer demais...". O egoísmo, tanto quanto o impulso pueril da menina no exemplo anterior, torna o homem muito previsível, assim como seu destino.

Imagine a cena de um cãozinho correndo atrás da própria cauda: o homem egoísta vai correr atrás de benefícios pessoais até a personalidade dele se dissolver. Enquanto não esgotar isso, não vai passar para outro patamar de interesse, para outro degrau. É mais ou menos calculável o que vamos viver. É a lei aplicada à natureza humana, cumprindo seu papel. Depende de quando cada um de nós vai querer desenrolar este papiro.

**Pergunta:** O interessante nesse raciocínio é que a humanidade regride e, depois, progride. É uma coisa que não tem muita lógica, não é mesmo?

**Resposta:** É, entre aspas; na verdade, há, sim, alguma lógica. Você tem que perceber que não podemos ser pessimistas nem otimistas, mas realistas. Imagine uma grande senoide: se você pegar o ponto mais baixo dessa curva, agora, e o ponto mais baixo dela milênios atrás, parecerá que subimos um pouquinho! Mas o problema é que estamos, neste momento, em uma crise, ou seja, em um ponto baixo, e não é justo comparar a crise de um momento histórico com o auge de outro. Em tempos de crise aguda, no passado, cometemos crimes terríveis. Hoje, esses atos são mais controlados e condenados, e já não há quem defenda publicamente a prática do genocídio, por exemplo. Melhoramos um pouco, mas, infelizmente, a mudança humana é lenta; experimente mudar a si próprio e verá que não se trata de tarefa fácil.

Agora, cuidado para não considerar que houve um momento histórico em que todos foram bons! O Egito teve sábios maravilhosos, mas vocês acham que todo mundo que vivia lá era sábio? A Grécia teve Sócrates e Platão, mas vocês acham que todo mundo era a favor deles? Se assim fosse, não teriam condenado Sócrates à morte!

Então, quando passamos a conhecer um pouco da história, percebemos que havia, no passado, um nível de barbárie público e assumido sem pudor, e que medianamente crescemos um pouquinho, porque o processo de crescimento é mesmo lento. Isso exige certa paciência com o ser humano e a humanidade, porque traçamos uma curva senoide onde a elevação real é bem lenta. Pense que, em 434 d.c., Átila, rei dos Hunos, estava jogando as criancinhas dos inimigos em um poço para os lobos as devorarem. Há, hoje, alguém que faça algo assim? É possível, mas não tão exposto e assumido, pois essa pessoa não encontraria apoio público para esse ato: a enorme maioria ficaria indignada. Hoje, um ato dessa natureza já é moralmente condenável por grande parte da humanidade; mas naquela época, não! Crianças do inimigo tinham mesmo que ser jogadas para os lobos! A humanidade não se escandalizava com isso. Ou seja: são passos lentos, mas temos caminhado.

A velocidade do nosso crescimento é lenta, mas, mesmo assim, não podemos abrir mão de nos empenharmos ao máximo para que tal processo aconteça. É bom, de vez em quando, procurarmos bons romancistas históricos, como Christian Jacq, Steven Pressfield e outros, para entendermos melhor como funcionavam essas grandes civilizações do passado. Steven Pressfield, romancista e historiador norte-americano, conta em seu belo livro *Tempos de Guerra* como era a Grécia no tempo de Sócrates. Não era nada fácil! Já passamos por momentos muito duros. Há que se considerar isso e ter certa lucidez, nem tanto ao mar, nem tanto à terra: bom no passado, ruim agora, ou vice-versa! Todo momento histórico é dual, como tudo, na manifestação: há o que pode ser copiado, há o que deve ser esquecido. Mas, aos poucos e com subidas e descidas, estamos progredindo. E o que é importante: estamos aqui e não nos deixamos abater, não perdemos a esperança!

**Pergunta:** É muito difícil pensar, de forma lúcida e equilibrada, por que as coisas acabam cegando nossos olhos diante de tanta barbaridade, de tanta crueldade, e a acabamos vendo só o lado lamentável dos seres humanos. Como desenvolver essa visão diferenciada?

**Resposta:** Com certeza, não é fácil! Mas até mesmo nossa indignação é um sintoma positivo. Não devem ter sido tantos assim que se indignaram com Sócrates tomando a cicuta. Hoje, você tem uma boa quantidade de seres humanos indignados com notícias de morte de população civil em algum lugar, por exemplo. Assim, temos que ter paciência, com nós mesmos e com a humanidade, acreditar nela, acreditar em nós e não deixar de trabalhar, porque para isso viemos, esse é o nosso sentido na vida: trabalhar para a nossa evolução e para a evolução da humanidade. Perder a esperança no ser humano é o pior que pode acontecer ao homem: não há mais chances; ele não cresce nem ajuda ninguém a crescer. Então, o pessimismo é uma falácia; temos que ter cuidado com ele. E também com todos os meios de comunicação que, irresponsavelmente, mostram só a metade podre da maçã e convencem-nos de que essa metade é o todo. Crescer acreditando que é possível se tornar melhor já apresenta grandes dificuldades; sem acreditar nisso, é melhor desistir. Não deixem que roubem suas esperanças!

**Pergunta:** Fiquei pensando sobre o primeiro princípio, o do mentalismo: ele parece ser o principal. Também fico imaginando se é mais forte que os outros...

**Resposta:** Sim, todos os princípios podem ser compactados no mentalismo... Você vai ver, lendo *O Caibalion*, que a obra passa bom tempo falando sobre a única forma de entender que Deus é o criador do Universo, porque a criação é mental, isto é, ilusória.

Vejamos: se Deus é Uno, ele não poderia criar nada fora dele, porque, se criasse alguma coisa, haveria dois, ele e o outro, ele e a criação. Assim, ele deixaria de ser Uno. A única maneira para que ele possa criar alguma coisa é criá-la, na própria mente, como forma-pensamento. Aí, as formas mentais aparecem, somem, aparecem e somem, como acontece com as coisas do mundo. Então, logicamente, todas as coisas do mundo, inclusive as demais leis, estão sujeitas a esse palco mental, onde o Princípio do Mentalismo dá as regras; todas as leis se resumem nele.

Desse modo, toda realidade do Universo manifestado seria constituída de imagens dentro da mente divina (que os indianos chamam de *Mahat*), tanto as coisas quanto as leis que as regem. É um Universo criado com uma finalidade; não é casual, mas é todo ele ilusório: apenas a realidade é eterna. Só o fato de as coisas serem transitórias já prova que são sombras. Segundo antigas tradições, a transitoriedade é sintoma de ilusão. Aquilo que é não pode deixar de ser nem no tempo nem no espaço. Então, todas as outras leis ocorrem nesse palco; tudo isso está acontecendo na mente de Deus.

Para dar uma ideia mais clara do que estou dizendo, vou citar um exemplo bastante simples. Quando vocês eram pequenos, jogavam *War*? Esse jogo consiste em um tabuleiro com um mapa-múndi, no qual os jogadores recebem algumas peças e um país como base. Há uma luta entre os países, uns jogadores contra os outros, através de lançamento de dados, até que o vencedor "domina o mundo". Mas todos sabem que aquilo é uma ilusão, um entretenimento: ninguém está em guerra contra ninguém. Mas, ainda que se trate de uma ilusão consensual e passageira, esse jogo possui regras, leis, e você deve obedecer a elas se quiser jogar, e, mais ainda, se quiser vencer. Pois bem: estamos no tabuleiro da mente de Deus, seja bem-vindo! É ilusório, mas as leis são reais. Conheça-as, domine-as e, só então, supere-as!

Assim, você fica sabendo quanto sua vida também é mental, quanto ela surge das suas posturas mentais diante do mundo. Você encontra a causa de todos os fatos da sua vida pela maneira como se posicionou diante deles; nas leis que obedeceu ou nas que descumpriu. E, a partir disso, pode até entender ou antever as penalidades aplicadas.

**Pergunta:** Pelo que percebi de todas essas leis, nenhuma, na verdade, funcionaria sem a outra, como se as sete fossem uma coisa só, é isso?

**Resposta:** Sim, estão todas encaixadas e misturadas, como se fossem aspectos de um único prisma, de uma única Lei. É até difícil explicar o Ritmo sem explicar a Polaridade. Estão todas ligadas. E a Polaridade vai gerar a Causa e o Efeito. Tudo está encaixado na mente de Deus. A Verdade emerge da lógica de Deus. E não seria a lógica o princípio que orienta também o pensamento humano? Então, os princípios sobre os quais flui o pensamento divino orientam, igualmente, o pensamento humano, se soubermos utilizá-los, como explica o Princípio da Correspondência.

**Pergunta:** Você poderia nos dizer quem falou que o Sagrado seria uma linha que passa por dentro de todas as coisas...?

**Resposta:** O conceito do fio, denominado *Sutratma*, que passa por dentro de todas as contas do colar, ou seja, de todos os seres criados, indicando que tudo possui uma única essência divina, é bem difundido na imensa quantidade de textos sagrados que a Índia possui. Eu o conheci em alguns textos ligados à Vedanta, mas não saberia dizer a você em qual obra ele é mais bem abordado. Mas trata-se de um belo e inspirador exemplo...

"Em qualquer lugar em que estejam os vestígios dos mestres, os ouvidos dos discípulos preparados se abrirão de par em par." – *O Caibalion*.

# Referências Bibliográficas

BLAVATSKY, Helena. *A Doutrina Secreta*, vol. III. 9ª edição. São Paulo: Pensamento, 1980. v. III.

_____. *A Doutrina Secreta*, vol. IV. 6ª edição. São Paulo: Pensamento, 1980. v. IV.

BUDGE, E. A. Wallis. *O Livro Egípcio dos Mortos*. São Paulo: Pensamento, 2006.

CÍCERO, Marco Túlio. *O Sonho de Cipião*. São Paulo: Escala, 2006. v. 63 (Coleção Grandes Obras do Pensamento Universal).

_____. *Corpus Hermeticum*. São Paulo: Polar, 2019.

ELIADE, Mircea. *O Sagrado e o Profano*. São Paulo: Martins Fontes, 2002.

EVANS-WENTZ, W. Y. (org.). *O Livro Tibetano dos Mortos* (Bardo Thodol). São Paulo: Pensamento, 2017.

JUNG, Carl. *Memórias, Sonhos, Reflexões*. Rio de Janeiro: Nova Fronteira, 2019.

OTTO, Walter Friedrich. *Teofania*. São Paulo: Odisseus, 2006.

Platão. *A República*. São Paulo: Edipro, 2006.

_____. Fedon, in Platão, *Diálogos*. São Paulo: Edipro, 2010. v. III.

RINPOCHE, Sogyal. *O Livro Tibetano do Viver e do Morrer*. São Paulo: Palas Athena, 2013.

ZIMMER, Heinrich. *Filosofias da Índia*. São Paulo: Palas Athena, 2008.

_____. *A Conquista Psicológica do Mal*. São Paulo: Palas Athena, 1988.